KB195895

뫔

몸

초판1쇄 찍은 날 | 2013년 3월 8일
초판1쇄 펴낸 날 | 2013년 3월 15일

지은이 | 김규성
펴낸이 | 송광룡
펴낸곳 | 심미안
등록 | 2003년 3월 13일 제05-01-0268호
주소 | 503-821 광주광역시 동구 학동 81-29번지 2층
전화 | 062-651-6968
팩스 | 062-651-9690
전자우편 | simmian21@hanmail.net

값 13,000원
ISBN 978-89-92680-70-7 03800

몸

마음 길을 찾아 떠나는
행복한 몸 여행

김규성 시인과 함께 찾는
108개의 마음지도

책을 펴내며

어릴 적, 걸핏하면 먼 산을 골똘히 바라보다가 아버지한테 혼나곤 했다. 인적이 끊기고 산짐승 울음소리 으스스한 심산유곡의 밤길을 산책 삼아 즐겨 거닐기도 했다. 두 개의 – 공공의 대화와 사적 대화 – 언어를 필요로 하는 바깥 세계와의 대화보다는 속마음을 불러내 허심탄회하게 주거니 받거니 나누는 자신과의 내밀한 대화가 한결 그윽하고 맛깔스러웠다. 중독처럼 독서삼매경에 빠져 지내면서도 책 속에 꼭 내 생각을 곁들이거나 덧씌워야 직성이 풀렸다. 길마다 산책로였고, 시간마다 사색의 강이었고, 만나는 사물마다 궁리 대상이었다.

갈수록 건강에 대한 관심들이 높아져 가지만 대부분 몸 건강만을 챙기기에 급급하다. 흔히 몸과 마음이 둘이 아니라는 사실은 놓치기 일쑤인 것이다. 그러나 건강을 위해서는 몸과 마음 서로가 불가분의 필요조건이자 충분조건이어야 한다.

나는 몸에 대해서는 아무래도 문외한이다. 다만 마음은 긴한 화두처럼 한시름 붙들고 평생 씨름해온 만큼 최소한의 독백쯤은 허락해도 될 것 같다. 그 일단이 백여덟 조목을 엮은 마음에 관한 자기 해부이다. 거창하게 백팔번뇌를 백팔복락으로 탈바꿈했다고는 못하지만, 몸과 마음을 불가분한 한 묶음으로 묶고 그 단일화 에너지를 한껏 살리려고 붓방아를 찧었다. 제목도 순 우리 모어인 몸과 맘(마음)을 합성하여 '몸'으로 했다.

악화가 양화를 구축하듯 경박한 사고와 무분별한 역설이 판을 치는 독서풍토 속에서 고전을 재발견하여 새 목판에 다시금 아로새기는 자세로 되도록 독자들의 귀와 눈을 빌려 쓴다고 섞어작으로 늉쳤지만 마치고 보니 괜한 허두가 많다. 팔만대장경을 비롯해 무수한 종교의 경전들이 내내 마음을 다룬 텍스트일진대 자칫 사족의 굴레를 못 벗어날 것을 알면서도 감히 부랴부랴 내놓는다. 뫔! 졸지에 새 글자(순우리말) 하나 탄생하는 벅찬 순간이다.

2013년 봄

김규성

차례

코

혀

몸

맘

눈

빛과 그림자

최희준의 허스키하면서도 솜사탕처럼 달콤한 노래 중에 〈빛과 그림자〉가 있지요. 아마 페티 킴도 따라 불렀었지요. 두 명창들이 나란히 빛과 그림자를 노래한 것입니다. 다시 한 번 만년에 든 그들의 명암 짙은 〈빛과 그림자〉를 엿듣고 싶네요. 어떤 인생의 음색이 나올까요.

흔히 렘브란트는 빛의 화가로 불립니다. 끼니마저 굶는 만년의 비참한 생활 속에서도 인간에 대한 깊은 이해와 애정을 바탕으로 한 주옥같은 그림을 그렸지요. 조용한 인간의 모습은 렘브란트 그림의 대부분을 차지하는 주제이지요. 그는 다빈치나 뒤러 못지않게 많은 자화상을 그렸습니다. 수많은 초상화와 자화상을 통해 인간의 성격에 대한 깊은 통찰력을 보였지요. 그의 그림은 침묵을 언어로 관람자와 깊숙한 대화를 나누는 듯한 느낌을 주는데, 하나같이 특유의 명암을 배경으로 하고 있지요.

빛을 드러내기 위해서는 반드시 그림자가 필요합니다. 마찬가지로 그림자를 강조하려면 빛이 들러리를 서야 하지요. 그러나 빛이 없으면 그림자도 없지요. 그림자는 빛의 산물입니다.

기쁨과 즐거움은 빛으로, 슬픔과 고통은 그림자에 비교해 볼까요. 우리는 한사코 기쁨과 즐거움을 추구하지요. 반면 슬픔과 고통은 싫어합니다. 그러나 흔히들 슬픔과 고통이라는 그림자가 기쁨과 즐거움이라는 빛의 부산물이라는 점은 까마득히 잊고 살지요. 사실 기쁨이나 즐거움에 연연하지 않으면 슬픔과 고통에 연연할 필요도 없지요. 그것이 빛과 그림자를 배경으로 한 인생 명암의 속성입니다.

우리의 마음속도 빛과 그림자로 이루어진 한 편의 그림이지요. 그러나 사실은 빛도 아니고 그림자도 아닌 무색지대이지요. 다만 외부의 빛과 그림자가 투영되어 반사된 결과일 따름인 것입니다. 어디 한번 되뇌여 볼까요. 우리가 싫어하는 것은 우리가 좋아하는 것의 반작용이거나 부작용이라는 사실을! 우리의 마음은 우리가 좋아하는 것이나 싫어하는 것의 일방적 거처가 아니라는 사실을 말입니다.

성의

디킨즈의 크리스마스 캐럴에 나오던가요. 스크루지 영감이라고 있었지요. 오직 돈 밖에 모르는 수전노들의 대명사 말이지요. 돋보기를 흘려 쓰고 부지런히 주판알을 굴리는 심술궂은 영감이 떠오르네요. 흔히 자기 이익을 지나치게 따지는 사람에게 계산적이라거나 타산적이라고 손가락질하지요. 타산적이라는 단어를 보실까요. 두드릴 타(打)에 주산(珠算)의 산(算)이지요. 그러니까 이해타산의 지시에 의해 습관적으로 주판알을 굴리는 것입니다. 머릿속에 자신의 이익만을 그리고 있으니 세상이 제대로 보일 리 없지요. 물론 자본주의 사회에서 자기의 이익을 추구하는 것은 당연한 권리라고 할 수 있지요. 그러나 그 정도가 너무 지나치니 문제이지요. 이웃에게 피해를 주지 않고, 이웃의 몫을 탐하지 않는 한도 내라면 감히 뭐라고 왈가왈부하겠습니까.

한참 경제동물이라는 말이 유행하던 적이 있었지요. 인간의 속물

화가 어디까지 갈 것인지 고민되는 시점이었지요. 그런데 그때보다 더 경쟁이 치열하고, 인심이 흉흉해진 지금은 통 쓰이지 않습니다. 너무도 빤한 '일상적이고도 보편적 수치(羞恥)' 가 되어서 아예 생략하기로 묵시적 합의를 본 모양이지요. 그리고는 경제라는 단어가 모든 가치의 일차적 언어로 등극했지요. 너나없이 돈의 노예를 자청한 것입니다. 경제동물에서 아예 '경제벌레' 로 타락했지요.

인간성에 대한 서글픈 자조와 심각한 우려의 주범인 경제라는 용어를 현대적 시각에서 살펴보실까요. 맨 먼저 돈이 떠오르지요. 이어서 경쟁이라는 단어가 떠오르지요. 그것도 삭막하고 살벌한 무한 경쟁입니다. 자꾸만 돈의 위력과 위치가 수직상승하는 게 보이지요. 인간을 위한 일부분인 경제가 도리어 인간을 경제의 부분적 하부구조로 추락시키는 주객전도 현상이 말이지요. 경제라는 주술에 걸려 인간의 존재감이 급속도로 위축되고 왜소화 되는 것을 절감하게 되지요. 이제 경제는, 현실적으로는 그 추악한 악취에 비례하여 무소불위의 권력을 행사하며, 추상적으로는 인류가 그동안 눈물겹게 갈고 다듬어온 정신적 가치를 싸잡아 송두리째 덮어버리는 쓰나미의 이미지로 각인되고 있지요. 부도덕과 불합리와 상극의 온상으로 변질되고 만 것이지요.

돌이켜 보실까요. 잘 아시겠지만 경제의 어원은 경세제민(經世濟民)이지요. 직역하면 나라를 다스리고 백성을 구제한다는 뜻이지요. 좀 더 친절하게 해석한다면 백성이 배불리 살 수 있도록 나라를 잘 경영한다는 뜻이지요. 그러나 요새는 경세제민(競世帝民) 혹은 경세제민(驚世制民)이라고 표기해야 맞을 것 같습니다. 다윗과의 싸움에 이긴 골리앗 –성서에서는 다윗이 기적처럼 이겼지만– 이 돌팔매도 없고 돌팔매질을 할 기력도 없는 다윗의 상전 노릇을 하는 것이라고 해석할까요. 한사코 세상을 닦달해서 절대다수의 대중들을 피곤하게 부려먹는다고나 할까요.

그런데 말이지요. 인간이라는 '유한한 시간'이 기껏 얼마나 쓰고 가겠습니까. 웬만큼 여유가 있다는 층들은 그토록 악착같이 쌓아 둔 경제의 한 귀퉁이도 다 못 쓰고 가기 마련이지요 –물론 당장의 끼니조차 걱정해야 하는 경우는 해당되지 않겠지만요– 하물며 내로라 하는 부자들은 어쩌겠습니까. 세상의 직간접적인 원성이나 욕을 생각하면, 그 집요한 타산에 비해 너무 허망한(억울한) 결산인 셈이지요. 그 대단한 경제의 대가들이 돌이켜보면 얼마나 비경제적입니까. 더러 허울 좋게 세상에 환원한다고들 하지요. 제발 그만 두라고 하세요. 그러기에 앞서 세상의 무수히 가난한 몫에 알게 모르게 손대지 않는 것이 열백 번 낫지요.

부자 삼대 못 간다는 속담도 있지만 –요즈음 대기업은 꼭 그렇지도 않지요– 하여튼 잘 부풀려서 자손에게 고스란히 물려주었다고 칩시다. 그것이 꼭 자손들에게 축복만은 아니지요. 가난을 경험해 보지 못한 –그래서 가난을 모르는– 치들에게 필요 이상의 부(富)는 자아와 인간의 진면목을 가리고 녹슬게 하는 독이기 쉽지요. 그리고 그것을 이웃과 나누지 않고 꼭꼭 움켜쥔 채 있다 해도, 언젠가는 '제3의 블랙홀'로 빨려가기 마련이지요. 여태껏 자기 계산인 줄만 알았던 타산(打

算)은 결국 남의 계산에 불과한 타산(他算)으로 되돌려지고 마는 것이지요.

타산(打算)은 나로부터, 욕망으로부터 출발하지요. 거기에 남의 입장이라고는 전혀 들어 있지 않지요. 그러나 세상은 남과 더불어 살 수밖에는 없는 '공존의 지혜'를 요구합니다. 제대로 영혼이 트인 경우라면 결국 나와 남이 둘이 아니라는 상생의 원리를 깨칠 수밖에 없지요. 따라서 최선의 계산은 계산하지 않는 것이지요. 굳이 해야 한다면 나와 남에게 동시에 이익이 되는 셈만 해야지요. 네 것 내 것 따져 계산하지 않으니 얼마나 머리가 편합니까. 타산에서만 해방되어도 우리의 마음은 청정호수의 절반은 이룬 것이지요. 사실 우리가 자주 쓰는 수식어로 '경제적'이라고 할 때의 경제는 돈, 시간, 노력을 최대한 절약하는 것을 뜻하지요. 이를테면 최소의 비용으로 최선의 결과를 거두는 것이지요. 또한 부지런히 일하고 알뜰히 아껴서 요긴하게 쓰는 것을 이릅니다. 요긴하면서도 아름답게 쓴다면 더할 나위 없는 경제 행위겠지요.

그런 의미의 경제는 마음을 다스리는 데도 참으로 적합한 텍스트입니다. 걸음마다 바깥 것을 제 몸처럼 삼가고, 살피고, 아끼는 행위가 흐트러진 마음을 추슬러 이끌고 가는 경우가 많지요. 그 행위가 곧 경제적 자기관리입니다.

내친 김에 이번에는 좀 멀리 돌이켜 보실까요. 이탈리아 르네상스 시절 화가이자 조각가며 건축가이던 프란체스코가 있었지요. 그와 동명이인으로 그보다 훨씬 더 널리 세상에 알려진 또 한 분의 프란체스코가 기억나시지요? 로마 가톨릭의 수도사로 흔히 '아시시의 성 프란치스꼬'라고 불리는 분입니다. 그는 프란체스코 수도회를 세워 세속화된 로마 가톨릭교회를 개혁하고자 애썼지요. 그런데 그의 종교 개혁은 루터나 캘빈과는 격이 다르지요. 철저한 가난, 짧고 단순한 생활 규칙을 몸소 실천하는 청빈주의가 그 요체이지요. 캘빈이 예정설을 통하여 자본주의의 빌미를 제공했다면 프란체스코는 순수 사회주의에 가까웠지요.

프란체스코의 잿빛 누더기 수도복이 아직도 눈에 밟히는군요. 옷 하니까, 또 하나의 감동적인 영상이 스쳐가네요. 그 극적인 장면을 재생해 볼까요. 부자이던 프란체스코의 아버지는 회심한 아들의 청빈한 삶을 도무지 이해할 수 없었지요. 아버지는 매우 못마땅하게 여기고 그를 골방에 가두게 됩니다. 그래도 아들은 뜻을 굽히지 않지요. 아버지는 그를 주교 앞으로 끌고 갔습니다. 이때 프란체스코는 자신의 옷을 모두 벗어 아버지에게 돌려주지요. 비로소 부의 허상으로부터 해방된 것이지요. 아버지에게 돌려준 옷은 그 후 그가 평생을 걸친 누더기 성의와 함께 우리에게 실로 엄청난 이야기를 들려주고 있는 것입니다. 화려할수록 거추장스런 육신의 옷을 벗고 간단할수록 편한 마음의 옷을 입을 때에야 비로소 하나의 새사람으로 태어나는 것이지요. 이를테면 천국에 가장 가까이 이르는 것이지요. 가끔 성 프란체스코와 성 클라라가 에덴동산에서 마음의 옷조차도 훌훌 벗어버리고 너울너울 춤을 추는 장면을 꿈꾸어 봅니다. 세상에 그보다 더 아름다운 춤이 있을까요.

근검은 신앙인들에게는 수행의 일차적 관문이지요. 산천마다 청정수가 흘러넘치던 시절에도 스님들은 따로 흔적 없이 정수(淨水)를 해 물 관리를 했다고 합니다. 청빈하고 단순한 몸가짐을 통하여 마음을 다잡고 추슬렀지요. 방금 앞에서 언급한 '경제적' 인 생활은 어느 종교단체든 엄격한 일상적 규율로 자리매김 되어 있습니다. 제대로 지켜지느냐 아니면 형식적이냐의 문제는 자기네들이 알아서 할 일이겠지만요.

계영배

친한 아우 중에 계영배라는 닉네임을 쓰는 친구가 있습니다. 어지간이나 술을 좋아해서 한번 술자리를 깔면 해 지는 게 아니라 날 새는 것조차 모르지요. 특히 막걸리를 좋아해서 탁주 주조장에서는 날마다 감사의 표창을 해도 부족할 것입니다.

그런데 계영배라는 닉네임이 좀 특이하지요. 무슨 사람 이름도 같고 데이비스컵이니 손기정배니 하는 타이틀 같기도 하지요. 사실 계영배(戒盈盃)는 한자가 암시하듯 넘치지 않는 술잔이란 뜻이죠. '사이펀의 원리'를 이용한 것으로 잔 속에 관을 만들어 술을 그 관의 높이까지 채우면 새지 않으나 관의 높이보다 높게 따르면 관속과 물의 압력이 같아져서 수압 차이에 의해 술이 흘러나오게 되지요. 일종의 절주를 위한 교묘한 장치지요. 그래서 절주배라고도 부르지요.

춘추시대 제환공은 바른 처신을 위해 그 잔을 늘 곁에 놓아두고 마음을 다스렸다고 하지요. 절주도 절주지만 나아가 지나친 욕심을 삼가기 위한 자율의 교훈이 담겨 있지요. 현재도 그 잔은 성스러운 상징을 허락도 없이 닉네임으로 쓰는 친구에 의해 우리의 촉촉한 입술에 오르내리고 있습니다. 여전히 술과의 담합 혹은 전쟁을 반복하고 있으면서도 그는 자신의 과음을 경계하기 위한 고육지책으로 그런 고상한 닉네임을 사용하는 것이지요. 어디 과음뿐이겠어요. 그 역시 과유불급의 실수를 범하기 쉬운 마음을 가다듬기 위한 방편이겠지요.

그러나 모자라지도 넘치지도 않기란 참으로 어려운 노릇이지요. 그래서 일찍이 성현들도 입을 모아 궁극의 경지로 중도 혹은 중용을 들었지요. 곧바로 서고, 바르게 앉고, 양팔을 나란히 벌려 수평을 이루는 등 눈에 보이는 몸의 중심잡기는 쉽지요. 문제는 마음이지요. 잠시만 한눈팔아도 넘치고 달아나기 일쑤지요. 살다보면 "넘치는 것은 모자람만 못하다"는 속담이 본전처럼 생각나는 경우가 얼마나 많습니까.

걸핏하면 고삐 풀린 망아지처럼 헝클어지고 설치려 드는 마음을 다잡아 온전히 하는 것은 곧 중용의 마음, 중도를 잃지 않는 것입니다. 마음의 중심을 잡는 것은 중도를 이루는 것이기도 하지요. 바깥이 어지러울수록 마음속에 저마다의 계영배를 고이 모시고 살아야 하겠습니다.

영과 마이너스

영(0)의 발견은 수학사뿐 아니라 인류 문명사에 있어서 획기적인 사건이었지요. 영(0)은 10이라는 수를 이루는 것처럼 완성을 뜻하지요. 동시에 영(零)이라는 무(無)의 개념도 내포하고 있습니다. 놀라운 진리가 숨어 있는 숫자지요. 인도에서 최초로 사용했다고 하지요.

영(0)에서 더 왼쪽으로 내려가면 마이너스가 나오지요. 그 마이너스 이론도 인도에서 출발하지요. 마이너스 이론을 자궁으로 삼는 대수학도 인도에서 아라비아를 거쳐 유럽으로 건너갔다고 하지요. 과연 경전의 만리장성인 팔만대장경이 나올 만한 영적 토양이네요.

반면 대수에 신통치 않은 그리스인들은 기하학에 남다른 공을 세웠지요. 서양에서 대수에 미진했던 탓은 마이너스의 개념이 없어서라지요. 동양에서 수입한 영(0)과 마이너스를 공부한 결과 가우스, 라이프니츠, 뉴턴, 아인슈타인, 러셀 등 쟁쟁한 천재들이 대수나 방정식에도 통달하게 되었지만요. 『팡세』라는 수준 높은 명상록을 남긴 파스칼 역시 〈근대 확률이론〉을 창시했고, 〈압력에 관한 원리(파스칼의 원리)〉를 체계화했으며, 직접 계산기를 만들기도 한 수학의 천재였지요. 『적과 흑』의 작가 스탕달을 기억하시죠? 그도 한때는 수학자를 꿈꾸었다고 합니다. 그러나 이내 포기하고 말지요. 마이너스를 이해 못해서라네요. 전화위복이지요. 그 결과 기하학적인 장광설을 남겼으니까요.

이상은 자기 작품에 숫자나 기하학을 자주 등장시키지요. 수에 대한 탁월한 감각과 비상한 계산력을 볼 때 수학자였다면 상당한 수준에 이르렀을 것이라고 합니다. 실제로 총독부에서 건축기사로 근무했던 그는 독특한 계산법으로 업무를 처리해 동료를 놀라게 할 정도로 뛰어난 수학적 재능을 보인 바 있지요. 하긴 조병화 시인도 원래 수학을 기초로 하는 물리화학을 전공했는데 그 많은 시편들을 남겼네요. 우리나라도 일찍이 수학에 눈 떴지요. 그런데 기하학보다 대수에 열심이었던 것 같습니다. 삼국시대부터 음수를 양수와 똑같이 다루었다고 하니까요. 신라의 산학교과서인 『구장산술』에 '방정장' 이라는 수학용어가 보이지요. 어쩌면 방정식의 어원이 한국인지도 모르겠네요.

그러고 보니 마이너스 이론에 익숙한 인도와 한국 등 동양에서는 대수가 발달하고 마이너스 이론을 이해 못했던 서양에서는 기하학이 발달한 거네요. 대수는 푸는 것이지만 기하학은 넓히고, 쌓아올리고, 만드는 것이지요. 우리가 제자리서 유유자적하며 자연의 매듭을 푸는 동안, 서양은 직선의 시간관이 뚫은 고속도로를 타고 문명의 영토 확장을 꾀했지요. 동양은 음양을 동시에 다루었지만 서양은 '陽'에만 매달렸습니다. 밝고, 따뜻하고, 편한 쪽에만 집중하다 보니 자연히 문명이 발달할 수밖에요. 반면에 그만큼 역기능으로 어두운 그늘이 드리워지는 것은 너무도 자명하겠지요. 양의 팽창은 반드시 질의 저하를 가져오기 마련이지요. 그것이 오늘날 심각한 자연재해로 되돌려져 지구촌을 불안에 떨게 하는 것입니다.

그런데 언제부턴가 우리가 오히려 한술 더 떠, 이미 그 한계와 폐해가 적나라하게 드러난 '양(陽)'을 좇기에 정신을 빼앗기기 시작한 것입니다. 되지도 않은 숫자놀음과 눈 먼 투기놀음이 가히 '놀음천국'의 위용을 과시하고 있듯이 말예요.

그러면 다시 영(0)으로 돌아가 보실까요. 그 자체로는 무(無)이지만 다른 숫자를 묶어서 무한한 표기가 가능하게 하는 위력을 지녔지요. 완성 수인 10의 자릿수마다 나타나서는 다른 숫자들의 수고를 덜어주지요. 만약에 영(0)이 없다면 기하급수적인 숫자의 나열이 있어야겠지요. 엄청난 시간을 절약해주는 것이지요.

영(0)을 중심으로 플러스와 마이너스가 나뉩니다. 이를테면 중용의 자리지요. 그러면서도 스스로는 항상 무(無)에 위치하지요. 그러기에 그런 초능력이 가능한 것이지요. 완성과 원점을 뜻하며 음양을 좌우 협시보살로 거느린 부처 같지요. 다시 말해 완성과 무와 중용은 하나라는 진리를 증명해 주는 것이지요.

우리 마음도 영(0)에게서 배워야 합니다. 무심(無心)이어야 참다운 마음씨를 낳을 수 있지요. 일심은 곧 무심이지요. 항상 그 태 자리는 무심이어야 하지요. 더러운 것은 물론 깨끗한 것도 없는 그것이 마음의 본모습입니다. 깨끗한 것에서 상대적으로 더러운 것이 나오게 되니까요. 더러움은 물론 깨끗함조차 없어야 비로소 마음의 원형에 이른 것입니다. 말장난도 같고 괜히 어렵지요. 그것은 우리가 평소 늘 한쪽에만 익숙한 채로 다른 쪽을 흘려보기 때문이지요.

내친김에 마이너스도 한번 돌아볼까요. 플러스가 있다면 마이너스도 있지요. 그것이 수천 년 전 동양에서 발견한 음양의 법칙이지요. 마이너스를 없애려면 플러스도 없애야 합니다. 혼자만으로 존재할 수 없지요. 바둑을 보실까요. 흑과 백이 하나뿐이라면 바둑은 없지요. 남자가 없다면 여자도 없지요(물론 그 반대의 경우도 마찬가지이죠). 성적표에서 '수'가 없으면 '가'도 없지요. 별이 없으면 그늘도 없지요. 마찬가지로 '너'가 없으면 '나'도 없는 것이지요.

모든 것이 상대성을 매개로 존재하는 것입니다. 그러나 현실은 상대 때문에 아프고, 슬프고, 괴로운 것을 어쩝니까. 상대만 없다면 하등 고통스러울 까닭도 없는데요. 상대라는 존재가 참 난감하지요. 없으면 존재할 수 없고, 있으면 고통스러우니 말이지요. 좀 거칠지만 필요악이라고나 할까요. 할 수 없네요. 이왕 함께할 수밖에 없는 운명이라면 상대를 존중하고 사랑하는 수밖에요. 상대가 있어서 나도 존재할 수 있다는 그 사실에 주사위를 던져야지요.

최선은 곧 상대와 나를 동격에 놓음으로써 상대성을 극복하는 것입니다. 그렇습니다. 거기에서 새롭게 출발하는 것입니다. 세상이 다시 보이지요. 무한영역이지요. 하찮던 것들이 소중하게 다가오지요. 그것이 이른바 부활이지요. 부활은 천국도 지옥도 아닌 곳에 새 둥지를 틉니다. 너와 내가 함께하면서 너도 나도 사라진 바로 그 자리에요.

걸어보지 못한 길

「걸어보지 못한 길」이라는 로버트 프로스트의 시가 생각납니다. 시집 제목으로도 씌었지요. 이화경 작가의 최근 수상집 『버지니아울프와 밤을 새다』가 있습니다. 거기에는 제인 오스틴, 조르주 상드, 프랑수와즈 사강, 버지니아 울프, 시몬 드 보부와르, 실비아 플러스, 한나 아렌트, 수전 손택, 로자 룩셈부르크, 잉게보르크 바흐만 등 열 명의 여성들이 등장합니다.

하나같이 남들이 가보지 못한 길을 걸어간 이들입니다. 나름나름 위대한 선각자이자 열정적 삶의 개척자들이지요. 그런데 대부분이 상식을 일탈한 비정상적 궤적을 선보이고 있지요. 물론 그들이 상식의 틀에 갇혀 정상적 일상을 추구했다면 하등 뭇 지성과 세간의 주목을 끌지는 못했겠지요. 그러기에 그들의 펄펄 끓어 넘치는 끼와, 치열한 지성과, 도저한 진정성에 일말의 그림자로 드리우는 실연, 마약, 광기,

자살, 성 편력 등 암울한 상처와 탈선, 부조리조차도 우리가 감히 흉내내기 어려운 자아확대의 아우라로 재해석하게 유혹하는 것이지요.

잠시 시야를 돌려 보실까요. 저들이 보이지 않는 길을 가슴과 혼으로 걸어갔다면 눈에 두렷이 보이는 길을 온몸으로 걸어간 자들이 있지요. 목숨 따위 아랑곳하지 않고 미친 듯이 지도에 없는 처녀지를 탐하다 아쉽게도 불귀의 객이 된 아문센, 리빙스턴 등이지요. 한국만 해도 누구보다 가까이서 무수한 '고상돈'을 지켜보고도 홀린 듯 빙벽을 타던 고미영과 박영석의 아픈 기억을 떨칠 수가 없네요. 그런데도 여전히 더 험준한 미개지와 산을 오르는 발길은 끊이지 않고 있습니다.

그렇게, 비록 미완의 길이지만 그들은 우리가 우물 안에서 다람쥐 쳇바퀴 돌 듯 첨벙거릴 때 과감히 우물을 벗어나 저만큼 미지의 세계를 뜨겁게 활보했었지요. 그러기에 그들의 우물 밖 실패조차도 우물 안에 갇힌 우리의 타성적 성공에 비하면 실로 엄청난 성취였지요. 비록 결과는 아까운 실패였지만 과정만큼은 미증유의 자아도취이자 부분부분 충일한 성공이었으니까요.

우리가 걸어보지 못한 길을 대신 걸어간 그들의 실패는 곧 우리가 한참을 나아가서 새로이 시작해야 할 미래의 출발선이지요. 억울하게도, 우리의 '식상한 성공'이 아닌 저들의 '미친 실패'가 일련의 로드맵인 것입니다. 지금도 그들은 우리를 괜히 분발하게 닦달하고 타성에 찌든 피곤한 안일을 부끄럽게 고문하지요.

그런데 일찍이 누구도 걸어보지 못한 길을 걸어간 분들이 또 있지요. 석가, 노자, 공자, 예수, 소크라테스 등 소위 누천년에 걸쳐 성현으로 일컫는 분들입니다. 물론 그 외에도 우리가 미처 모르는 숨은 선진들이 많겠지만요. 그분들은 앞에서 열거한 유수의 선각자나 개척자들이 현실과 이상의 심각한 괴리를 앓다가 중도에서 실패한 것과 달리 전인적이며 궁극적인 완성을 이루게 되었지요. 그리고 그것은 근원에의 귀환이기도 했습니다. 안과 밖, 영과 육, 이상과 실재, 너와 나, 시간과 공간이 따로 놀지 않게 정신의 벼릿줄을 온전히 다스린 아름답고 성스러운 영혼의 미학이었지요.

마음에도 길이 있습니다. 사실 마음의 세계만큼 광활한 영토는 없지요. 마음은 빛의 속도보다도 빠르게 태양계와 은하계를 뛰어 넘어 무수히 널려 있는 저쪽 제2, 제3의 지구로 달려 갈 수 있지요. 그리고 거기에 무수의 깃발을 성큼 꽂을 수도 있지요. 그런데 우리는 그런 마음 세계의 넓이와 높이와 걸음의 만 분지 일에도 이르지 못하고 부질없이 바쁜 생을 마감하게 됩니다. 이를테면 대략 백오십억 개의 뇌세포 중 극히 하찮은 일부도 제대로 사용하지 못하고 썩혀버리는 것이지요.

우리에게 그 어떤 것보다도 화급한 과제는 마음속에 무한대로 펼쳐져 있는 미지의 길을 찾아 걸어가는 것입니다. 그 길만 제대로 찾아 똑바로 걸을 수 있다면 굳이 비정상과 탈윤리의 상흔을 남기지 않고도 최고도의 지성이 안내하는 자아실현과 자기완성의 정점에 이를 수 있겠지요.

마음의 길을 찾기 위해선 무한시공을 자유로이 나는 공상과 상상의 날개도 필요하고, 의식과 무의식의 경계를 허물고 치열하게 마음의 영역을 확장해 가는 내밀화가 필요합니다. 갈수록 바쁘고 복잡한 세상, 밖에서 잃은 길을 안에서 찾는 그 절박한 실마리가 곧 우리 마음속에 있는 것입니다. 그런데 무엇보다도 마음을 맑고 고요하게 해야 그 길이 저 멀리까지 두렷하게 잘 보입니다.

뜨거운 열정은 차가운 이성을 반려로 할 때야 비로소 자신을 파괴하지 않고 상상 이상의 드높고 그윽한 경지에 이를 수 있다는 것을 기억해야 합니다. 참된 인격은 비정상보다 정상의 외양(外樣)을 취할 때 자연스럽게 주어지는 것이지요. 그리고 그 정상 속에는 비정상 몇 배의 초인적 인내와 자율이 숨겨져 있음을 깊이 아로새겨야 할 것입니다.

빙판길

빙판길에 차가 미끄러져 자칫 큰일을 당할 뻔했습니다. 차가 미끄럼을 타겠다고 제멋대로 춤추기 시작하면 손쓸 방도가 없는 게 빙판 위에서의 운명이지요. 순간이라는 말을 온몸으로 실감하게 되는 아찔한 순간이었지요. 마침 가드레일이 몸을 사리지 않고 막아준 덕에 어렵사리 가파른 언덕으로의 추락은 피할 수 있었습니다. 제 몫을 다한 환호였을까요. 가드레일은 찌부러진 허리를 추슬러 V 자를 그리고 있었습니다. 새록새록 고맙고도 부끄러웠습니다. 소위 고등동물이라는 생명체가 미생의 무정물에게 과분한 신세나 지며, 순간에 대한 통찰과 순간의 무시무시한 위력에 대해 한 수 배우다니요.

죽음은 예기치 않은 상황에서 찾아올 때가 많습니다. 흔히 "죽음 앞에 장사 없다."고들 하지요. "홍시보다 땡감이 먼저 떨어질 때도 있다."고도 하고요. "사람이 죽으려면 접시 물에도 빠져 죽는다."는 속담도 있네요. 그러기에 미리 죽음에 대비하고 사는 것이 현명하다는 것쯤은 다 알고 있지요. 문제는 대부분 그 사실을 망각하고 산다는 점이지요. 어쩌면 잊어버리려고 애쓰는지도 모르지요. 그러다가 죽음에 직면하면 후회막급이고요.

평소 후회 없이 사는 것이야말로 죽음 앞에서 후회하지 않아도 되는, 즉 후회 없는 죽음의 첩경일 텐데요. "빈손으로 왔다가 빈손으로 가는 게 인생"이라는 말은 곧잘 하지요. 그러나 그 너무도 뻔한 상식을 제대로 실천하는 경우는 극히 드물지요. 아무리 보아도 재미라곤 없을 것만 같은 법정 스님이 남다르게 우러러 보이는 것도 그 '빈손의 상식'을 온전히 실천했기 때문이지요. 무소유라는 말은 법정 스님의 창작이 아니지요. 아주 오랜 옛날부터 무수히 입에 오르내린 단어지요. 그런데도 왠지 그분의 말처럼만 들리네요. 무소유는 곧 죽음에 임하는 최고의 무기입니다. 덩달아 삶조차도 아름답고 고귀하게 해주지요. 무소유는 내 몫을 줄여 그만큼 공공의 파이를 키우는 것이지요. 또한 몸피를 줄여 죽음의 길을 보다 가벼운 걸음으로 가는 것이기도 하지요.

우리는 몸의 살은 빼려고 안달하면서도 마음의 찌꺼기는 비우려고 하지 않지요. 그리고 물질의 살은 찌우지 못해 또 안달하지요. 그러나 물질의 부는 영혼의 가난을 부르는 악마의 주술이기 쉽지요. 주변에 가난으로 신음하는 이웃들을 두고도 최소한의 필요 이상을 탐하는 것은 분명 죄악이지요.

법정은 납의를 깨끗이 빨아 입은 것 말고는 웬만한 거지보다도 더 가난했지요. 그러나 그 마음은 항상 충만했지요. 텅 비어서 오히려 충만한 것이지요. 무관이었기에 지상의 어떤 지도자보다도 더 경외로운 무형의 권위가 주어졌고요. 그 일상이 지극히 단순해서 평화로웠고, 집착이 없으니 그만큼 자유로울 수밖에요. 탐착을 버리니 자연 울화와 어리석음의 질곡에서 해방될 수밖에요. 말처럼 쉽지는 않지만 죽음 앞에 담담하기 위해서는 애착, 탐착 등 집착으로부터 벗어나 맑고 밝고 자유롭고 평화로운 평정심을 평상심으로 가꾸어야 합니다. 당연히 꾸준한 마음의 청소와 관리가 전제되어야겠지요. 불가에서 경계하는 탐, 진, 치 삼독 중 탐착만 제대로 버리면 진(嗔)과 치(痴)는 저절로 사라지지요.

한편 내일이 종말인 것처럼 경건하고 벅차고 진지하게 각별한 일상을 창조해 가는 삶의 자세는 죽음에 대한 불안과 경거망동과 후회를 씻어주는 묘약이지요. 더불어서 미리미리 이웃이나 주변의 사물들에게 고맙다는 말도 해두어야겠습니다. 이웃과 즐겨 나누는 것처럼 크고 확실한 보험은 없으니까요. 설사 내생이 없다고 하더라도 후회 없이 잘 사는 것이 잘 죽는 비결일터이니까요.

빈 항아리

내 마음의 항아리는 웬만큼 비워졌다고 생각했지요. 때로 너무 허전하다는 불만이 일기까지 했습니다. 그래서 그 속에 저녁 반주 정도의 잔술은 좀 채워도 된다며 뚜껑을 열어놓기 시작했지요. 그러나 아니었습니다. 항아리는 술자리의 객담 몇 마디나 친한 이웃과의 하찮은 서운함에도 쉽사리 금이 가곤 했지요. 항아리는 비었다는 오만에 겨워 딱딱한 자폐(自閉)의 분비물로 채워지고 있었던 것입니다.

마음을 비운다는 것은 결코 쉬운 일이 아니었습니다. 마음이 속삭이는 순간의 감언이설에 그만 속고 만 것이지요. 숱한 정치인이 답답하거나 어려운 고비에는 산행을 하곤 합니다. 내려와서는 하나같이 마음을 비웠다고 큰 소리 치지요. 그러나 얼마 안 가서 더 추악한 정치의 소용돌이 속으로 잠입하는 것을 무수히 보아야 했지요.

누가 누구에게 마음을 비웠다고 합니까. 자신조차도 들여다 볼 수 없는 불가침의 영역을 어떻게 몇 마디 말로 드러내 보일 수 있겠습니까. 불가해한 마음의 항아리를 붙잡고 닥지닥지 달라붙어 있는 접착물들을 말끔히 뒤집어 쏟아 버리는 엄청난 작업이 나약하고 성급한 인간의 능력으로 가당키나 하겠습니까. 설사 잠시 비우는 시늉은 했다고 칩시다. 거기에 다시는 오물이 쌓이지 않아야 제대로 비운 것이지요. 그러니 함부로 마음을 비웠다는 오만을 인간의 언어로 뇌까릴 수 없는 것입니다.

마음은 비우는 것이 아닙니다. 사실은 채우는 것이지요. 겸손, 진실, 사랑, 절제, 온유, 순결 등이 새 식구이지요. 만약에 마음의 곳간이 텅텅 비었다면 금세 생쥐 떼나 잡초로 채워지고 맙니다. 그러기 전에 그것들이 감히 기웃거릴 수 없게 알곡이나 진정한 보물로 채워야 하는 것입니다. 건강하고 참신한 식구들로 마음속의 낡고 썩고 병들은 무단점거자들을 몰아내는 것이지요. 다만 아무리 좋은 것들로 마음속을 채웠다고 할지라도 행여 그것을 의식해서는 안 됩니다. 자칫 또 하나의 병폐가 되기 쉬우니까요.

겉과 속

까뮈의 소설에 데뷔작인 『표리(表裏)』가 있지요. 까뮈는 서문에서 "나는 이십 년간 창작활동을 해놓고도 나의 작품은 아직 시작도 하지 않았다는 생각을 여태껏 가지고 살아간다."라고 했지요. 표리가 일치하지 않은 것을 표리부동이라고 합니다. 안과 겉이 따로 놀지 않게 자신을 다스리기가 얼마나 어려운 화두인가를 까뮈의 서문에 빗대어 이해할 수 있을 것 같네요. 저 역시 안팎이 따로 없는 경지에 이르자는 화두를 붙들고 여태껏 씨름해 왔지만 처음 시작할 때에 비해 달라진 게 별로 없는 것 같습니다. 어쩌면 후퇴했다는 표현이 더 솔직할는지 모릅니다.

사물에는 겉과 속이 있기 마련이지요. 거울처럼 투명한 물도 표면 온도와 바닥 온도는 다르지요. 흙탕물도 가라앉은 속물은 더러운데 겉물은 상대적으로 맑지요. 마음도 겉마음과 속마음이 따로 놀 때가 있습니다. 흔히 누구는 겉과 속이 다르다고 손가락질할 때가 있지요? 사실은 대부분 자신을 향해 손가락질 하는 셈이지요.

그때가 곧 마음이 표리를 달리하는 때이지요. 예컨대, 누군가를 미워해 해코지를 하려고 벼르면서도 겉으로는 친한 척하는 경우입니다. 그때, 속마음이 본심이고 바깥으로 연기하는 마음은 거짓 마음, 즉 위선이지요. 말하자면 이중인격자가 되는 순간이지요. 마음의 가장 나쁜 경우이지요. 다음으로 속마음과 겉마음이 일치하긴 해도 그 속이 맑지도 따뜻하지도 못한 사람이 있지요. 솔직하다 해도 마음자세가 제대로 되어 있지 않은 경우이지요. 당연히 가장 바람직한 마음가짐은 속마음과 겉마음이 따로 놀지 않으면서도 한결같이 맑고 밝고 따뜻한 경우이겠지요. 그것이 진짜 마음인 것입니다.

그러나 우리는 대부분 크든 작든 얼마만큼의 위선을 부리며 살고 있지요. 그러니까 마음에 나쁜 인자를 지니고 있는 것입니다. 참으로 부끄럽고도 두려운 꼬락서니지요. 항상 한결같은 마음을 지니기 위해서는 삿된 욕심을 비우는 절제와, 오롯한 마음을 훼방하는 그 어떤 상황도 두려워하지 않는 용기가 필요하지요. 그러기 위해서는 평소 마음과 하나 되어 맑고 밝고 따뜻한 평상심을 기르며 즐기는 마음자세를 길러야 합니다.

거울

강은 언덕에서 봐야 제대로 보입니다. 반대로 언덕은 강에서 보아야 잘 보이지요. 창밖을 스쳐가는 가로수를 보아야 차의 속도를 짐작할 수 있지요. 자기가 제 얼굴을 볼 수는 없습니다. 거울에 비춰보아야만 얼굴의 티를 발견할 수 있지요.

자신만으로는 제 마음도 알 수 없습니다. 마음은 끊임없이 흐르는 -의식이든 무의식이든- 무형의 실체이기 때문에 대상이 있어야만 그 대상에 따라 움직이는 마음을 겨우 종잡을 수 있지요. 호수도 물결이 치지 않으면 자신을 기억할 수 없듯이 '사단' 도 '칠정' 도 마음의 흐름에 따른 파생어일 따름이지요.

자신만의 언어는 통용될 수 없지요. 세상의 언어로만 자신을 말할 수 있기 때문입니다. 자신과의 대화도 세상의 언어로 해야 하지요. 비교와 차이의 산물인 언어는 늘 타자를 필요로 합니다. 대상과 언어를 통해서만 설명될 수 있는 존재의 영역에서 자유로울 수 없는 나는 결국 타자와의 합작이지요. 정확히 말해 사유가 아니라 공유인 것이지요.

그러니 타자와 더불어서만 나는 존재합니다. 주관은 객관의 상관물로서만 가능한 것이지요. 나는 우주의 객관적 상관물로서만 존재하며 파악되지요. 그렇다면 거꾸로 나를 통해서 우주를 깊숙이 들여다볼 수도 있지 않을까요. 바로 그것입니다. 내 안에 있는 거울을 통하여 진리의 표상이자 본체인 우주를 재발견하는 것이지요. 마음은 곧 우주의 거울입니다.

고삐

"세상만사 마음먹기 달렸다"는 유행가 구절이 있지요. 그 가사의 저작권은 1,300여 년 전 신라의 한 젊은 스님에게 있습니다. 아니 2,500여 년 전 인도의 '출가한 왕자'에게 있다고 할 수 있겠네요. 허긴 어디 그분들에게만 독점권이 있겠습니까. 인류가 생겨난 이래 무수한 선진들이 무수히 들먹여 온 흔하디흔한 구호이지요.

그런데 문제는 제대로 그 진수를 깨우쳐 몸소 누린 자가 드물다는 사실이겠지요. 와중에, 백 근 남짓의 그릇에 든 마음조차 변변히 가누지 못하면서 남을 함부로 다스리려고 든다는 것은 얼마나 우스운 망발이겠습니까. 마음! 보이지 않아서, 만져지지 않아서 다루기가 쉽지 않지요. 그러면서도 동에 번쩍 서에 번쩍 이리저리 제멋대로 달려가서 기웃거리는 통에 통제 불능이곤 하지요. 내 안에 들었으면서도 도대체 누구의 것인지 불안하고 원망스러울 때가 많습니다.

그러나 분명 자신을 대표하고 상징하는 것만은 엄연한 사실입니다. 하는 수 없이 달래고, 붙들고, 다듬고 해서 고삐를 조이는 수밖에요. 무엇보다도 중요한 것은 마음을 편하게 순하게 어여쁘게 가꾸어야한다는 점입니다. 옛날에는 쟁기를 끌게 하려고 소 길을 들였지요. 그처럼 마음도 길들이다 보면 고삐를 놓아도 늘 제자리를 지키게 될 것입니다. 하여튼 나도 몰래 흥얼거리는 노랫말처럼 마음을 잘 먹어야겠습니다.

헛것

빅토르 위고는 "바다보다 큰 것은 하늘이요, 하늘보다 큰 것은 인간의 마음"이라고 했지요. 또 장자는 "마음은 산천보다도 험하고 하늘보다도 막막하다."고 했습니다. 그렇듯 마음은 헤아릴 수 없는 깊이와 굴곡과 넓이를 가진 망망대해입니다. 부드러운 솜사탕인가 하면 헝클어진 가시덩굴이기도 하지요. 펄펄 끓는 용광로인가 하면 어느새 싸늘한 빙하로 돌변하기도 하지요. 폭풍과 그 눈이 공존하는 바람의 거처이기도 하구요. 잠시도 제자리 머무는 법이 없이 흐르는 변화무쌍의 달인입니다. 그것이 자신의 진면목이자 현주소인 마음의 형상인 것입니다.

마음이 얼마나 바쁜지 살펴볼까요. 우선 눈과 귀와 입과 코와 혀와 몸을 하나하나 부리고 달래고 제어하여 리드미컬하게 한 유기체로 조절해 나가야 합니다. 그런데 그것들은 잠시도 가만 있지 않습니다. 눈

하나만 좇기에도 턱 없이 바쁘지요. 어디 그뿐인가요. 걸핏하면 마음 조차도 마음대로 달아났다 나타났다 건잡을 수 없지요.

그러니 온전한 자기가 어디 가당키나 하겠어요. 어쩌다 꿈에 떡 얻어먹기로 마음이 제자리를 찾아오면 겨우 한순간 자기가 되다 마는 것이지요. 그 외에는 무수한 타자에 불과한 것입니다. 저마다 아무리 잘났다고 떠들어도 실은 헛것을 두고 침 튀기며 제 것인 양 왈가왈부하는 어리석음에 다름 아니지요. 다들 헛사는 것이지요. 그것이 만물의 영장이라는 인간의 눈코 뜰 새 없는 실상입니다.

그래도 용기를 냅시다. 비로소 마음이 자신의 실체라는 것을 알았다면 자신의 절반은 되찾은 셈이니까요. 문제는 그 엄연한 진리를 제대로 깨우쳐야 합니다. 그래야 퇴보 없이 항상 거기서부터 출발할 수 있지요. 그리하여 점차 마음과 의논해가며 즐겁게 자신을 누리는 것입니다. "이 세상에서 가장 훌륭하고 가장 아름다운 것은 보이지도 않고 만질 수도 없고 다만 마음으로 느껴질 뿐이다."라는 헬렌 켈러의 말도 있지요.

욕심

옛날 사람들은 고민이 없고 별 욕심을 부릴 필요가 없어서 약이 없이도 건강했다고 합니다. 한데 대부분 약을 끼고 사는 요즈음 고민하지 않고 지내는 사람은 어린아이나 백치밖에 없겠지요. 아이들도 유치원 갈 때쯤이면 벌써 세상사에 부대끼기 시작합니다. 거기에 어른 아이 할 것 없이 웬 탐은 그리도 많습니까. 일 탐, 먹을 탐, 이길 탐, 가질 탐, 부릴 탐 등 헤아리기도 벅차네요. 그러니까 현대인을 번뇌와 탐욕, 즉 잡념과 탐심 두 마음이 괴롭히며 끌고 가는 셈이군요. 그중에서도 탐심을 웬만큼만 자제하면 잡념은 덩달아 줄어들 터인데 그게 잘 안 되나 봅니다.

탐내는 마음, 성내는 마음, 어리석은 마음을 일러 삼독(三毒)이라고 하지요. 거기서도 욕심이 문제네요. 욕심만 비우면 성냄도, 어리석음도 별로 없겠지요. 그렇다고 욕심을 아주 버릴 수는 없지요. 살고자

하는, 사랑하고자 하는 욕심조차 없다면 어쩌겠어요. 그 경우는 욕심보다 다른 표현을 써서 구분하는 게 좋겠네요.

한의학에서는 오장(五藏)을 오신장(五神藏)이라고도 하지요. 간장, 심장, 비장, 폐, 신장이 혼(魂), 신(神), 의(意), 백(魄), 지(志) 다섯 귀신을 감추고 있다고 해서요. 마음을 귀신에 비유한 게 재미있네요. 우리에게 그놈의 귀신이 붙어서 욕심을 부추기고 번뇌의 수렁에 빠뜨리나 봅니다.

하여튼 욕심도 마음이니 그 것을 비우고 닦아서 투명하게 관리해야겠습니다. 그러면 옛날 사람들처럼 병원에 가지 않고도 건강할 수 있겠지요. 물론 공해에 찌든 환경도 옛날처럼 청정하게 가꾸는 작업을 아울러 해나가야 되겠지요. 불현듯 국토청정, 마음청정이라는 말이 떠오르네요.

작고 적게

에른스트 슈마허의 저서에 『작은 것이 아름답다』가 있습니다. 슈마허는 책 속에서 "경쟁과 속도전에서 벗어나, 인간이 자신의 행복을 위해 스스로 조절하고 통제할 수 있을 정도로 자그마한 경제 규모를 유지할 때 비로소 쾌적한 자연 환경과 인간의 행복이 공존하는 경제 구조가 확보될 수 있다."고 했지요.

거의 맹목적이다시피 '크고 많게' 만 추구하는 자본주의의 광란 속에서 동떨어지게 '작은 것' 의 가치와 미학을 이른다는 것이 자칫 서툰 낭만이나 부질없는 상상으로 비칠지 모르지만 그래도 상아탑과 저잣거리를 동시에 섭렵한 산지식의 산물인 그 책은 장기간 세계적 베스트셀러였습니다.

우리는 날마다 거울 앞에서 하루를 시작합니다. 그런데 거울에는 늘 먼지가 끼지요. 하루만 닦지 않아도 여지없이 티가 나지요. 그런데 그 먼지가 적어질수록 거울의 성능은 우수해지고 가용면적은 커지지요. 거울에 비친 우리 얼굴은 더 뚜렷해지고요. 그러니까 먼지의 점령지가 작아질수록 거울은 거울다워지는 것이지요.

흔히 거울에 비하는 마음도 마찬가지지요. 마음속의 먼지가 줄어갈수록 그 인격은 빛납니다. 그리고 그만큼 마음은 평화롭고 완전해지지요. 한사코 마음속의 먼지를 작게 더 작게 쪼개고 줄여 나가야겠습니다. 그렇게 파사(破邪)를 하다보면 저절로 현정(顯正)이 주어지는 것이지요. 자기완성의 가장 효율적인 지름길이지요.

정돈

“신발장에 신발이 가지런히 놓여 있으면 도둑도 뒤돌아 간다.”는 속담이 있지요. 신발 말이 나왔으니 하나만 더 할까요. 신발은 바닥이 고루 닳아야 정상이지요. 그만큼 걸음을 반듯하게 한다는 증명이니까요.

사람이 가장 오래 견딜 수 있는 자세는 바르고 곧게 앉는 것이라고 하지요. 스님들이 좌선할 때의 자세이지요. 대개 누워 있기가 편할 것 같지요? 멀쩡한 사람이 누워서 엎치락뒤치락 하지 않고 얼마나 견디는지 보실까요. 그런데도 대부분 당장 편한 것에만 급급하여 사방을 어지럽히며 흐트러진 자세로 살아가지요.

군대에서 관물정돈을 잘 못해 옆 동료들을 수고롭게 한 기억이 새삼스럽네요. 때로는 겁 없이 고참들 손을 빌리기도 했지요. 그런데 그 버릇은 아직도 여전합니다. 아침마다 침구 한 번 제대로 정돈하는 법이 없지요. 필기구를 쓰고 나서 아무 데나 던져두고 다음에 쓸 때는 여기저기 찾느라고 한참 법석을 떨지요. 옷장에는 흐트러진 옷들이 신나게 디스코를 추어대니 말이지요. 그뿐이 아닙니다. 프린터기를 사용할 때면 잠깐 정신을 놓은 사이에 수두룩이 백지를 낭비하는 경우도 다반사지요.

어머니는 컴컴한 새벽에도 손싸고 정확하게 옷을 찾아 입고 부엌에 나가셨는데요. 가만 보면 옷가지를 자로 잰 듯 가지런히 포개 놓고 잠자리에 드시는 것이었지요. 그뿐이 아니셨지요. 어머니는 한꺼번에 두세 가지 일을 할 때가 많으셨습니다. 예를 들면 바느질을 하며 약을 달이시는 경우였지요. 거기에다 한참 말썽을 부리는 손자들까지 돌보는 데도 전혀 실수가 없으셨거든요. 빠르면서도 뒷손 볼 게 없는 일처리만으로 대단한 인생의 장인(匠人)이셨지요. 아버지의 주벽에 데고 물린 탓을 하며 정서불안 운운하자면 직접 당사자인 어머니가 저보다 몇 곱 심하셨을 텐데도 매사 흩어진 모습을 보이신 적이 없었으니까요.

그러나 저는 두 가지 일을 동시에 하는 것은 고사하고, 한 가지 일도 뒷손 대지 않게 마무리할 때가 거의 없지요. 고약한 버릇이지요. 참 못났지요. 어머니를 생각하면 부끄럽기 이를 데 없습니다. 지금까지 제자리에 두지 못하고 여기 저기 어지렵혀 놓은 것들이 얼마나 될까요. 그렇지 않아도 어지러운 세상, 조용히 있다 가야할 텐데요. 허락도 없이 빌려 쓴 이승, 어서 마음의 옷깃을 여미고 물물마다 자국없이 제자리에 돌려놓아야 할 텐데요. 남은 사람들이 사용하기에 좋게 말예요.

매사 깔끔히 정돈하는 습관은 마음을 다잡는 데도 도움이 됩니다. 반면에 물건을 제자리에 두지 못하고 두서없이 흐트러뜨려 놓는 것은 마음을 산란하게 하는 원인이지요. 가만 보면 모두가 마음 관리 탓입니다. 마음이 차분하지 못하니까 바깥 사물도 제대로 정리정돈을 못하는 것이지요. 마음은 항상 안과 바깥에 두루 미치는 것을 기억해야 합니다. 물건을 항상 제자리에 단정하게 정돈해 두는 것은 마음을 다스리는 일차적 자기관리인 것입니다.

금수강산

사람마다 각자의 마음이 있지요. 얼굴이 똑같은 사람이 없듯이 마음이 똑같은 사람도 없습니다. 쌍둥이처럼 얼굴이 비슷한 경우는 더러 있어도 마음은 저마다 천차만별이지요. 얼굴이 얼추 고정적인데 – 얼굴도 세월 따라 늙어가지만요– 비해 마음은 끊임없이 흐르는 속성을 지녔기 때문입니다.

그런데도 우리는 마치 식물을 과와 속으로 분류하듯이 동일한 지역, 언어, 인종을 대충 한데 묶기 바쁘고 그에 발맞춰 마음이나 성질도 외부 환경과 한통속으로 무리 지어 부르지요. 국민성이 그 대표적인 경우입니다. 사람의 마음도 환경과 역사, 문화와 엇비슷하게 동행한다는 것으로 보는 것이지요. 융이 말한 집단무의식의 사회적 발현이라고 할까요. 물론 국민성은 대체적이지 구체적일 수 없습니다. 어디 개개의 마음도 딱 집어 설명하기가 쉽던가요. 그러나 분명 나라마다 나름대로 공유하는 정서와 정신은 있게 마련이지요. 일맥상통해온 역사적 공통분모라고 할까요.

국민성에 비해 눈에 띄는 응집력으로 표출되는 게 애국심입니다. 사회적 동물답게 인간은 집단적 축제나 위기에 하루살이 떼처럼 운집하는 현상이 있기 때문이지요. 흔히 운동 경기를 할 때 자신도 모르게 자기 나라나 자기 지역을 가슴 졸여가며 응원하게 되지요. 그리고 그것은 너무도 당연시 되지요. 어디 운동뿐입니까. 노벨상 하나만 두고도 온 국민이 목을 매지요.

그런데 애국심이나 애향심이 꼭 좋은 결과로 나타나는 것만은 아니지요. 애국심은 강대국 사이에서 살아남기 위한 생존의 전략으로 기능하곤 했지만, 때로 패륜적 제국주의의 이데올로기로 변질 되거나, 독재자와 그 추종세력의 정치적 목적에 도구로 이용되기도 했습니다. 전쟁은 어떻게 이루어집니까? 결국 애국심을 빙자한 국가 간의 집단살육이지요. 국가의 이익이 곧 개인의 이익과 부합된다는 계산과 정서가 부풀어 오른 탓이지요. 그리하여 자칫 애국심이 매도되거나 강요되기도 하지요. 일상화한 전쟁인 무역전쟁을 보실까요. 강대국의 웬만큼 양식 있다는 국민들도 약소국의 피폐에 대해서는 대부분 내색도 않지요. 패권국가가 되어 약소국을 간접적으로 식민지화 하는 경우도 마찬가지이지요. 추악한 이기심을 맹목적 애국심으로 위장한 이성의 마비현상입니다. 일련의 자기기만이지요.

우리의 경우를 보실까요. 숨 돌릴 새 없는 식민지 상태에서 외세의 등쌀에 시달려 온 터라 애국심은 대단하지요. 때로 외세에 빌붙어 국민을 배반하는 흉적들도 만만치 않지만요. 애향심만 해도 그렇지요. 지역감정이라는 해묵은 망국적 작태는 얼마나 지겹고 부끄럽습니까. 영호남 대립도 모자라 국가의 백년대계를 서로 자기 지역에 유치하려고 물불가리지 않고 덤비는 꼬락서니는 또 얼마나 빤한 추태입니까. 아무리 지역을 면전에 내세워도 이기적이긴 마찬가지이지요. 지역개발이라는 우산 아래 개개의 이기심을 달성하려는 간교한 속셈이지요. 내놓고 해도, 지역이라는 공공(?)의 소도(蘇塗)속에만 발을 들여놓고 있으면 자못 떳떳해지는, 소위 "눈 감고 아웅"하기이지요.

그럼 이번엔 좋은 쪽으로 한번 보실까요. 우리에게도 분명 다른 나라와 다른 고유의 아름답고 훌륭한 특성과 사상이 있습니다. 먼저 사상을 보시지요. 단군신화의 요체인 홍익인간사상입니다. 너나 없는 공존의 지혜가 담겨있지요. 다른 나라의 건국신화에서는 찾아보기 어려운 공익과 상생의 슬로건이지요. 최시형이 그 스승인 최제우의 '인내천(人乃天)' 강령을 실천적으로 심화한 '사인여천(事人與天)' 사상도 있습니다. 동학혁명의 기조였지요. 사람과 하늘을 동일시한 획기적인 자주선언이지요. 백성 받들기를 하늘처럼 하라는 뜻이기도 합니다. 역시 공익과 상생의 깊은 뜻이 느껴질 수밖에요. 그 고유의 정신을 살려, 동양 삼국 중 확대지향성의 중국과 축소지향성의 일본과 달리 실물 크기의 진면목을 갈고 닦아나가는 지혜가 절실한 때입니다.

이번에는 특성을 보실까요. 정이 많지요. 그리고 부지런하지요. 그러나 정이 많은 반면에 남 탓을 잘하고, 죽에 맞는 끼리끼리 패거리를 잘 이루지요. 남 탓을 잘하는 것은 "남 눈의 티를 보느라고 제 눈의 들보를 못 보는" 어리석음입니다. 패거리를 짓다보면 으레 불필요한 소모가 많지요. 개개의 웅덩이에 빠져 전체적인 하늘을 보지 못하는 어리석음이지요. 또한 부지런한 대신 조급합니다. 조급한 것 역시 어리석음에 있어서는 타의 추종을 불허하지요. 이웃에 직접적인 피해는 주지 않는다고 투정할지 모르지만 찬찬히 들여다보면 심각한 재앙이지요. 무서운 병입니다.

아무리 눈부신 꽃길도 숨 가쁘게 달릴 때와 천천히 걸을 때의 차이는 비교할 수 없지요. 삼천리금수강산은 모두가 꽃밭이요 꽃길입니다. 그런데 꽃길을 가며 정작 꽃은 보지 못하고, 온통 달리는 데만 신경을 쏟는다고 생각해 보십시다. 과속의 경연장인 고속도로엔 사막의 유령인 아스팔트 뿐, 꽃은커녕 흙 한 줌 구경할 수 없지요. 있다면 순간순간 치명적인 사고의 위험이 도사릴 뿐인 고속도로에서 우리는 대체 어디를 미친 듯이 다투어 질주하는 것일까요.

돌이켜 보실까요. 천 년 전이나 지금이나 마음은 내내 한 발자국에도 못 미치는 우리 가슴속에 있습니다. 그런데 우리의 발걸음만 유난히 바쁜 것입니다. 그 발걸음이 괜한 마음을 실레벌레 부추기는 것이지요. 발이 마음을 끌고 가서야 되겠습니까? 마음이 발을 이끌어야지요. 아무리 발이 지레걸음을 치더라도 마음의 걸음을 한 박자만 늦춰 보실까요. 세상이 달라집니다. 그리고 우리의 인생이 확연히 달라집니다. 무작정 고속도로에서 내려, 그간 죄도 없이 세월이라는 도둑에게 쫓기며 살아온 평생의 체증이 가시게 심호흡을 한 뒤, 눈을 크게 뜨고 한바탕 둘러보실까요? 선걸음에 꽃이 달려옵니다. 이름 모를 새들이 통성명을 재촉합니다. 하늘의 별은 열 백배로 늘어납니다. 사람 사람이 그렇게 정겹고 아름다울 수 없습니다.

그 황홀한 마술의 열쇠는 저마다의 마음이 쥐고 있는 것입니다. 『25시』의 작가 게오르규를 기억하시지요? 작가이자 사제였지요. 그는 미래를 구원할 곳은 동방의 작은 나라인 한국이라고 했지요. 우리 국민성의 원류인 차분하고 경건한 자연친화적 본디의 마음속에 일찍이 게오르규가 예언했던 참다운 우리의 미래가 달려 있는 것입니다.

흑과 백

옛 시조에 "까마귀 싸우는 곳에 백로야 가지마라/ 성낸 까마귀 흰 빛을 새우나니/ 창파에 조이 씻은 몸을 더럽힐까 하노라"가 있지요? 일설에는 포은 정몽주가 이성계 문병 차 선죽교로 향하던 날, 팔순 가까운 노모가 간밤의 꿈이 흉하니 가지 말라고 문 밖까지 따라 나와 아들을 말리면서 부른 노래라고도 하는데요. 아마도 평소에 모친이 아들에게 절절히 새겨준 좌우명 같은 교육지침이 아니었을까요.

한편 "까마귀 검다고 백로야 웃지 마라/ 겉이 검은들 속조차 검을소냐/ 걸 희고 속 좁은 이는 너 뿐인가 하노라"라는 시조도 있지요. 마치 즉석에서 대꾸라도 하듯 일거에 반전을 꾀하고 있네요. 포은보다 30여 년 늦게 태어난 여말 선초의 벼슬아치로 이직이라는 이가 쓴 글이지요. 절세의 문장가로 청렴하고 충직했던 할아버지 이조년과는 달리 이직은 조선조에 빌붙어 이방원의 "살생부"를 만드는 등 조상의 얼굴에 먹칠을 한 공로로 영의정까지 누린 망나니였지요. 오죽하면 후대의 이율곡조차도 그를 일러 "쇠똥밭에 굴러다니며 산 쇠똥구리"라고 했을까요.

그러니까 언뜻 보면 그럴듯한 표현 같지만 만고의 충절을 폄하하고 도리어 왜곡까지 서슴지 않고 있지요. 포은과 정반대의 길을 간 자신을 비웃는 주변을 향한 구차하고 뻔뻔스런 변명인 것이지요. 마치 포은의 단심가와 방원의 하여가를 돌이켜 보는 씁쓸한 기분이네요.

그런데 두 편의 작품 모두 겉과 속이라는 상징적 낱말이 주조를 이루고 있지요. 그 두 상대적 상징을 잠시 빌려 볼까요. 여기서 겉은 몸을 말하고 속은 마음을 말하지요. 흔히 "속이 탄다.", "속 쑤시지 마라.", "속에 구렁이 몇 마리를 품고 산다."는 표현들을 하지요. 그런가 하면 "속이 깊고 따뜻하다."는 칭찬도 하지요. 곧 그 마음이 깊고 따뜻하다는 것이지요.

얼핏 겉과 속이 따로따로인 별개의 존재 같지만 실은 사물의 표리를 이루는 한 몸인 것을 우리는 잊기 쉽지요. 그렇다면 어떻게 해야 할까요. 차마 표리부동이라는 낱말에 빗대어 겉도 까맣고 속도 까맣게 일치시키자고는 않겠지요. 비록 겉은 검어도 속만은 깨끗해야지요. 이왕이면 겉도 희고 속도 희면 금상첨화이지요. 그런데요. 겉과 속을 하얗게 하려면 몸가짐을 잘하여 겉에 때를 입히지 말아야합니다. 겉을 꾸미지 않는 것도 중요하지요. 그러기 위해서는 또 마음을 티 없이 맑게 하고 소박단정하게 해야 합니다. 몸과 마음이 둘이 아니기에 서로 채근하며 배려하며 안팎을 아울러 가야하는 것이지요.

평등

프랑스와 폴란드 합작으로 폴란드 출신 크지쉬토프 키에슬로프스키가 연출한 영화 〈Three Colors〉가 있었지요. 베니스영화제에서 작품상, 여우주연상, 촬영상 등을 휩쓸었고요. 이른바 삼색기로 불리는 프랑스 국기의 상징 즉 blue·white·red를 제목으로 했지요. 첫 편에서 줄리엣 비노쉬의 열연이 인상적이었습니다. 청·백·홍의 삼색기는 1789년 프랑스혁명 당시 바스티유를 습격한 다음날 국민군 총사령관으로 임명된 라파예트가 시민에게 나누어준 모자의 표지 빛깔에서 유래했는데요. 각각 자유, 평등, 박애를 상징하지요. -박애를 형제애로 대신하기도 하지요-

대개 자유와 박애가 추상적이고 개인적인데 비해 평등은 가시적이고 보편적이지요. 그래선지 자유와 박애는 공존하기 쉽지만 자유와 평등은 늘 길항하며 갈등해 왔지요. 우리만 해도 서구민주주의가 도

입된 이후로 자유는 겉으로나마 많이 신장된 편인데 평등은 여전히 국가 사회적으로 지난한 과제이지요. 세계사적으로도 그간 사회주의적 평등이나 자본주의적 평등을 나름대로 극명하게 경험해 온 터인데 둘 다 만족한 해답을 내놓지 못하고 있듯이요. 자유는 헌법에 보장된 대로 웬만큼은 명시적 견제장치를 해 놓은 터이고, 박애는 개개의 마음에서 우러나거나 사회적 분위기에 의해 나름대로 실현되지만 예나 이제나 특권과 결탁한 '자유의 독과점' 으로부터 자유롭지 못한 '평등' 이 늘 문제인 것이지요.

천부인권설이나 사회계약론, 불평등기원론 등 계몽주의 사상의 핵심적 이슈들이 기억나시지요. 인간은 원래 자유롭고 평등한 존재로 태어났다는 이른바 자연적 평등사상은 17, 18세기의 사회계약론자들인 홉스·로크·루소 등에 의해 발화되지요. 시민계급이 이 사상을 무기삼아 절대왕정의 봉건적 지배질서를 허물어뜨리고 자유롭고 평등한 시민사회를 이루고자 세운 체제가 근대국가의 기원인 것이지요. 재산의 평등이 곧 불평등을 해소하는 본질임을 밝힌 루소의 「인간 불평등기원론」을 다시금 음미해 보실까요. 루소는 소수자가 다수자를 조직, 재화를 생산하게 하여 사유재산을 축적하는 생산구조가 모든 정치적·사회적 모순의 원천이라는 점을 지적하고, 전제정치나 법제도가 그와 같은 구조를 조장한다고 일갈했지요.

내친 김에 평등을 논하자면 빼놓을 수 없는 기독교의 경우를 살펴보실까요. 하느님 앞에서는 모두가 평등하다는 그리스도교의 가르침은 봉건제국의 부당한 압제를 받아온 민중에게 혁신적 저항 의지를 불러 일으켰지요. 그런데 한편으로는 군주들과 교회가 결탁하여 군주에게 저항하는 것은 곧 하나님에게 저항하는 것이라며 민중을 쇠뇌시키고 억압한 중세처럼 기독교가 독재정권과 반평등적 세속권력을 나누어 향유한 암흑기도 있었지요. 절대진리를 추구하는 신앙세계조차도 정치현실의 달콤한 유혹 앞에서는 부패권력과 교활하고도 잔혹하게 야합하는 일그러진 양면성을 추악하게 드러내고 말지요.

그러나 평등은 자유와 더불어 진정한 민주주의와 평화를 위해 결코 소홀히 할 수 없는 제일의 전제조건이지요. 잠깐 평등에 대해 살펴보실까요. 우선적으로 경계해야 할 평등은 칼로 무 자르듯 하는 천편일률적 평등이지요. 열심히 일하는 자와 게으름을 피우는 자들의 몫이 맨날 똑같다면 그것은 노동력 저하는 물론 심각한 사회경제, 문화적 퇴화를 불러오게 될 테니까요.

그 못지않게 경계해야 할 평등은 능력에 따라 몫을 나누는 성과적 평등입니다. 언뜻 분배정의 차원에서는 그럴 듯 해보이지만 필연적으로 과열 경쟁 탓에 수단의 부패를 수반하고 아울러 이웃 간, 계층 간, 지역 간의 심각한 차등을 낳음으로써 사회적 불안은 물론 인간적 삶의 질을 현저히 떨어뜨리는 풍요 속의 빈곤에 빠지고 말지요.

가장 바람직한 것은 상생적 평등입니다. 유명무실한 명목가치에 머물 뿐인 법률적 평등을 뛰어넘어 -우리 헌법에도 분명 평등권이 명시되어 있지만- 부귀와 빈천이 서로의 현실을 존중하면서도 공동운명체적 상호 존재가치에 대한 신의성실을 바탕으로 조화롭게 서로의 거리를 좁히는 실질가치 즉 사실적(실질적) 평등을 추구하는 것이지요.

그러나 선의의 경쟁구도를 벗어나 극악한 생존투쟁을 일삼는 오늘의 사회풍토 속에서는 승자의 일방적 자유와 시혜적(施惠的) 박애만이 허용될 뿐 평등이란 요원한 그림의 떡에 지나지 않지요. 모두가 도무지 만족을 모르고 잡초처럼 자라는 욕망 탓이지요.

그런데 우리 마음에는 평등심이 있습니다. 모든 것에 차별을 두지 않고 한결같이 사랑하는 마음이지요. 그러니까 온전한 평등심 속에서는 욕심이 자랄 수 없지요. 불경에서 중생 누구에게나 불성이 깃들어 있다고 하지요? 곧 평등심을 이르는 것이지요. 지고지순의 마음자리인 평등심이 자아의 바탕이 되어야 비로소 한량없는 자비(박애)가 샘솟고, 걸림 없는 자유를 누리게 되는 것인데요. 사회적 동물의 굴레를 벗어날 수 없는 우리에게 있어 마음 역시 바깥의 영향권에서 초연할 수 없지요. 마음이 평안하려면 바깥도 자유롭고 평등해야지요. 이웃이 불평등의 여파로 절망의 수렁에 허덕이는데 그것을 애써 외면하고도 마음이 편할 수는 없지요. 반면 저마다의 마음속에 고이 깃든 평등심에서 자유, 평등, 박애의 기운이 용솟음쳐 그 열기가 바깥에 두루 퍼질 때 세상은 그만큼 살맛나는 사회로 바뀌는 것이지요.

안으로는 차등의 산물인 욕심으로부터 해방된 자유의 폭과 이웃은 물론 삼라만상 모두에게 두루 미치는 박애의 양을 키우고, 밖으로는 '상생적 평등'을 추구하는 대열에 즐겨 참여하고 실천하는 것만이 우리의 마음을 아름답고 평화롭게 하는 최선의 계책인 것입니다.

울화

중국 송나라 때, 주자와 그의 제자 여조겸이 함께 쓴 책이 있지요. 『근사록(近思錄)』이라는 인격 수양서입니다. 거기에 "분노를 누르기를 불 끄듯이 하라"는 구절이 있습니다. 노여움이 폭발하면 자칫 상상 이상의 걷잡을 수 없는 대형 사건이 발생하지요. 빗나가면 살인적 앙심으로 자리 잡기도 하고요. 분노는 흔히 자신의 욕구가 방해를 받았을 때 생깁니다. 마음속에 불이 나는 것이지요. 사람이 지속적으로 화를 끓이게 되면 심각하게 건강을 해칠 수 있습니다. 분노가 쌓여 화병이 생기는 것입니다. 다시 말해 분노를 꾸역꾸역 눌러 참을 때 생기는 병이지요.

화병은 영어로도 'hwabyeong' 이라고 표기하지요. 별로 영예롭지는 않지만 우리나라에 그 상표특허가 있는 셈이네요. 굳이 따지자면 작명료는 명나라 장개빈이라는 의사에게 지불해야겠지만 어떻든 유난히 한국인에게 많은 독특한 병이라고 하니까요.

비슷한 것에 우울증이 있지요. 그런데 우울증은 주로 우울하고 슬픈 감정과 의욕저하에 따른 무기력증 등을 호소하는 정신증상임에 반해 화병은 대체로 신체증상을 통해 분노와 억울함을 호소하지요. 전자는 부교감신경계가 지나치게 항진 되는 반면 후자는 교감신경계에 지나치게 항진이 나타난다고 하지요.

하여튼 화병도 정신질환 중 하나로 본다면 그 싹을 일찌감치 잘라내야 하겠지요. 어서 마음의 불을 꺼야 되는 것이지요. 화병을 치료하는 데는 운동요법, 식이요법, 목욕요법 등 별별 방법이 다 동원 됩니다. 그러나 마땅한 치료약은 마음을 차분히 들여다보는 것이지요. 그리고 그 속에서 불덩어리를 찾아 끄집어내야지요. 무엇보다도 불이 난 원인을 찾아내 마음에게 차근차근 일러주는 것이 최선입니다. '원인치료법' 이라고 할까요.

참, 위의 근사록에서는 "분노를 누르라"고 했지만 분노는 눌러서 되는 게 아니지요. 분노의 자궁은 마음이니까요. 마음은 누르면 누를수록 암 덩어리 같은 응어리로 굳어지지요. 자칫 엉뚱한 때 엉뚱한 곳에서 엉뚱한 모양새로 터지기도 하고요.

마음의 물꼬를 틀어막으면 시궁창보다도 더 심하게 썩게 됩니다. 행여 마음에 매듭이 맺히게 해서는 안 됩니다. 마음의 실타래가 꼬이게 해서도 안 됩니다. 한사코 그때그때 술술 풀어주어야만 합니다.

귀

각설이타령

예전에 비해 많이 시들해 졌지만 지금도 그 오랜 명맥을 이어가는 시골 장날엔 심심찮은 구경거리가 있지요. 각설이타령입니다. 품바타령이라고도 하지요. 조선 후기 북방 유민의 후예인 각설이들이 대부분 지방 장터를 찾아다니며 문전걸식을 한 연고로 장(場)타령이라고도 부릅니다. 그래선지 각설이 타령엔 천대받던 유랑집단의 애환이 물씬 풍기는 것 같습니다. 풍자와 해학이 넘치는 사회 비판도 한몫 거들지요.

일설에는 각설이를 각설리(覺說理)의 변형이라며 미혹한 중생들에게 영혼의 윤회를 깨우치기 위한 방편으로 불보살들이 전한 노래라고 하기도 하지요. 마치, 거지에게 적선을 한 게 아니라 영혼이 불쌍한 중생들이 각설이타령의 깊은 가르침을 듣고 감읍하며 정성껏 시주나 공양을 하는 셈이네요. 그러고 보니 각설이 타령은 탁발승이 문전에서 목탁을 두드리며 읊어대는 염불이나 어슷비슷하네요.

하여튼 "얼씨구 씨구 들어간다 절씨구 씨구 들어간다"는 야릇한 주문 같은 구절부터 시작하는데요. 구걸을 하면서도 제 집에 드는 양 당당하네요. 꼭 무슨 과거급제라도 하여 삼현육각을 대동한 기분이지요. 얼씨구절씨구 추임새를 넣는 걸 보면 제법 흥이 나서 들어가는 판인데요. "들어간다"는 구절이 예사스럽지 않네요. 혹자는 얼씨구는 얼의 씨를 구한다는 뜻으로, "얼씨구 씨구 들어간다"는 것은 "얼의 씨가 몸 안에 들어가는 것"이라는 생경스럽고도 거창한 의미를 부여하기도 하는데요. 이를테면 소성거사로 이름을 바꾼 원효가 조롱박을 두드리며 불렀음직한 파계송(破戒頌)이라고나 할까요.

그런데 이어지는 "작년에 왔던 각설이 죽지도 않고 또 왔네"라는 구절부터는 차츰 본색이 드러나지요. 아무래도 그냥저냥 유랑극단을 전전하는 각설이들의 이야기가 맞나 싶네요. 왠지 참담한 여건 속에서도 끈질기게 버티는 민초들의 강인한 생명력이 연상되지요. 그 팍팍한 인고의 삶을 견디어 낸, 그러나 환영 받지 못하는 설움이 고자누룩하니 역력하지요.

춥고, 배고프고, 서럽고, 고달픈데도 당당하고 흥겹고 살맛나는, 역설 치고는 사무치게 눈물겨운 페이소스지만 걸쭉하게 능치는 말맛이 여간 아닌데요. 무엇보다 귀조여야 할 부분은 "작년에 왔던 각설이"가 "죽지도 않고 또 왔"다는 사실입니다. 그 속에는 각설이 떼들이 오지 말았으면 하고 귀찮아하는 객들의 따가운 눈총과, 설마 그 악조건을 견디고 다시 왔을까 하는 조롱 섞인 회의를 잔뜩 의식하고 있는 것만 같지요. 그런데 놀랍게도 보란 듯이 또 온 것이지요. 고통을 천연덕스럽게 흉으로 덧씌우고 돌아온 것입니다. 참 질기지요. 놀라운 적응력이지요. 어떤 역경이나 멸시에도 굴하지 않는 고래힘줄들이지요.

풀 중에서도 잡초가 생명력이 강하지요. 비료나 농약을 주어 가꾸지 않아도 제 딴으로 싱싱하고 억세게 자라는 것이지요. 각설이도 그렇지요. 역경이 오히려 그들을 강하게 단련시킨 것입니다. 유랑하는 발길 속에는 간절한 정착에의 열망이 깃들어 있지요. 그것이 그들의 지친 걸음을 건각으로 만드는 것이지요. 각설이뿐이 아닙니다. 이 땅의 민초들이 그런 극기의 삶을 마르고 닳도록 살아가는 것이지요. 볼수록 가슴 아프고 감동적일 수밖에요.

마음도 마찬가지입니다. 슬픔과 고통을 쟁기 삼아 기쁨과 즐거움의 문전옥답을 일구는 것입니다. 인욕을 통하여 건실한 인격을 이루는 것입니다. 거짓을 타파함으로서 진실에 이르는 것입니다. 철이 든 마음은 고통을 두려워하지도 싫어하지도 않습니다. 그것을 디딤돌로 통하여 참된 행복에 이를 것만 생각하지요. 저잣거리에서도 고요와 평화를 음미하는 것입니다요. 번뇌의 늪 속에서도 법열의 경지를 만끽하는 것입니다. 부정의 질곡 속에서도 긍정의 미학을 추구하는 것입니다.

비록 몸은 가난해도 마음만은 남부럽잖게 부자인 이들이 많지요. 정상인들조차 견디기 힘든 절망 속에서도 초인적인 마음으로 벅찬 행복을 일구어 가는 장애우들도 많지요. 그렇게 불가능을 가능으로 바꾸는 기적은 모두가 마음의 작품인 것입니다. 우리에겐 누구에게나 그 마음이 있습니다. 고달픈 길이지만 얼마나 든든한 지팡이이며 지도입니까.

겨울

햇빛도 점점 시들해지고, 일년초들은 깊은 잠에 빠지고, 철새들은 벌써 가고, 강에도 얼음이 얼지요. 쓰레기장에도, 폐차장에도, 썩은 나뭇가지에도 가리지 않고 눈부신 눈이 병상의 하얀 시트처럼 덮이네요. 그것은 제 성깔을 다한 생명을 표백한 죽음의 빛깔입니다.

겨울은 무성음이지요. 눈보라는 바람의 자기 노출일 뿐, 겨울은 일체의 소리가 철수한 적멸입니다. 일체의 소리를 빨아먹는 블랙홀이지요. 겨울은 원색으로의 환원이지요. 그 순전하게 빛바랜 무명(無明)에서 싱그러운 초록이 눈을 뜹니다. 겨울은 어차피 죽어갈, 그러나 아직은 살아서 눈 먼 욕망에 집착하는 생명체에게 보내는 신의 엄숙한 메시지이지요. 우리의 운명을 미리 편집하여 보여주는 맛보기 예고편인가 싶습니다. 어서 꿈에서 깨어나라고 끼얹는 찬물 세례 같네요. 길의 종점에 절벽이 기다린다는 안내 표지판처럼요.

우리는 우리가 만들어 남용하는 옐로카드나 레드카드보다도, 자연의 성난 경고인 화이트카드를 두려워해야 합니다. 흰빛은 순결을 상징함과 동시에 죽음을 확인시켜주는 코드지요. 그것은 백지에 일체의 문장을 쓸어 담아 지워버린 의미의 소멸입니다. 우주의 정체를 들여다본 선각들이 굳이 비석 중에서 백비(白碑)를 으뜸으로 치는 것은 그것이 자연의 체질에 가깝기 때문일 것입니다. 티베트의 조장을 보며, 섬뜩해 하면서도 순순히 공감하는 것은 그것이 자연의 은혜에 충실한 모습이기 때문일 것입니다.

욕망은 우주 속의 점 하나인 자신의 실체를 보지 못하고, 스스로를 한 치 앞 공간과 시간의 굴레에 가두어 두려는 몸부림의 실명이지요. 그 주성분은 거품이지요. 그 직분은 바윗돌을 모래로 분해하고, 모래를 다시 콘크리트로 결합하는 비효율의 노예이지요. 한편 욕망의 해석학이자 산파이며 연출자이기도 한 지식은 욕망의 노예이기도 합니다. 둘은 서로를 증폭시키며 동반 상승하는 수어지교(水魚之交)적 함수관계이지요.

그러나 지식과 지혜가 길항하며 반비례한다는 사실을, 미국의 첨단 지식이 갈수록 옛 인디언의 지혜에 미치지 못하고 점점 더 멀어지는 경우에서 확인해야 하는 당혹이란 마냥 씁쓸하기만 합니다. -절대적 마냥 절대시해 온- 진리의 해체와 붕괴는, 현대인에게 고독과 고뇌를 통한 실존의 가치와 의미를 되새기게 하는 전기를 제공했지만, 대부분 그 무거운 선물을 뿌리친 후 가볍고 쉽고 달콤한 말초적 감각의 환상 속으로 도피하고 말았지요.

오늘처럼 다양한 논리의 중층구조 속에서 살아남을 인물이 어디 있을까 생각하면 역사는 관념의 동어반복과 유희에 지나지 않을 것만 같습니다. 역사의 그늘을 자궁으로 태동한 혁명의 뒤안길에서 카멜레온의 배설물 같은 역설과 허무를 읽어내야 하는 고통은 얼마나 지성들을 피곤하게 했던가요. 중우(衆愚)와 익명이 해일처럼 실명을 훼손하고 덮치는 순간 이미지의 홍수 시대에는 제 이름 하나 제대로 간수하기가 쉽지 않지요.

무명으로 왔기에 무명으로 가는 것, 그것이야말로 진정한 자기 경영이 아닐까요. 허명(虛名)이나 페르소나의 중압감에 사로잡혀 정작 자신의 실상을 놓쳐버리는 어리석음에서 자유롭기가 얼마나 힘들던가요. 자신의 양심과 의지에 충실한 주체성이야말로 자기 본연의 기호이기 때문이지요. 허상이 제거된 자신의 실재를 통하여 사회와 만나는 구도자적 집념 없이 생명의 진면목을 기대하기 어렵습니다.

죽음을 의식하지 않고, 진정한 삶의 질을 향유하기란 요원합니다. 죽음에 효과적으로 대처하기 위해선 시간과 공간을 뛰어넘어 아예 초연하거나, 천국이나 부활을 예약해 놓은 듯 미래지향적 믿음이 충만하거나, 저승일지라도 거침없이 구경 가고 싶은 탐험가적 열정을 놓지 말아야 할 것입니다.

유목은 정착생활 이전의 원시 초기로 귀환함을 이릅니다. 유목은 소유와 저장의 과부하를 필연으로 하는 정착사회, 그 끈적끈적하고 묵은 때를 벗겨내는 혁명이기도 하지요. 인연에 대한 집착이나 미련이 덜하므로 윤회의 사슬은 느슨하고 한결 걸음이 가볍지요. 죽음에 대한 행보도 다음 유목지를 향한 여행처럼 자연스럽지요.

현대사회는 마침내 사이버 유목시대에 접어들었습니다. 히피는 그 우울한 징조였지요. 유행의 순간적 대량소비가 그 정체인 현대판 유목민들은 초원(유행)을 대강 뜯어먹고 나면 언제 그랬냐는 듯 다음 행선지(유행)를 향해 질주하지요. 그들은 말 대신 초고속 교통수단이나 온라인 공간의 사이버 판타지를 이용하지요.

문제는 정착에 중독된 현대가 문명의 탈을 쓰고 유목을 추구한다는 데 있지요. 그것은 진정한 유목이 아니지요. 거기엔 낭만도 휴식도 없지요. 목 좋은 초원을 선점하려고 속도전을 치르는 탓에 초원은 그 가속도만큼 황폐해지고, 문명의 쓰레기는 초원 전체를 이중 삼중으로 덮어버릴 뿐이지요. 슬픈 유목이지요.

진정한 유목은 욕망으로부터의 해방을 이르지요. 주어진 시간을 누리는, 그리고 그것을 연장하지 않는 지혜지요. 이삿짐을 최대한 줄이고, 꼭 필요한 만큼만 자연에서 빌리는 임대와 반환이 그 수단이지요. 생과 사의 문턱을 자유스럽게 넘나드는 무심이 그 영혼의 발자국이지요.

겨울은 유목의 정점으로 반죽음에 가깝지요. 그러나 그것은 새봄을 위한 장기휴식일 뿐이지요. 그래서 겨울은 생명체에게 베푸는 각별한 은총이지요. 자신을 겸허하게 비우고, 외투의 먼지를 털어 내고, 대지의 품에 안기는 원색의 제의(祭儀)이지요. 평화와 자유와 실존을 수확한 진정한 승자의 미소인 것입니다.

사소한 것

"티끌 모아 태산"이라는 속담이 있지요. "바늘 도둑이 소도둑 된다."는 속담도 있네요. 내내 작은 것의 존재를 강조한 것은 같지만, 전자는 격려가 그 주안점임에 반해 후자는 경계가 초점인 것이 다르지요.

우리는 흔히 작은 것이 쌓여 큰 것이 된다는 지극히 당연한 사실을 잊어버릴 때가 많지요. 제대로 크기를 바라거든 작은 것부터 소중하고 성실히 챙겨야 하는 데도 말이지요. 작다고 소홀히 하는 것은 크기를 포기하는 거나 다름없지요.

거짓말에 작고 크기가 어디 있습니까. 거짓은 거짓이지요. 작은 거짓말도 삼가야지요. 작은 거짓말일수록 조심해야 하지요. 사소하다고 아무렇잖게 거짓말을 해대는 이들의 무감각에 소름이 돋을 때가 있지요. 작은 것에 소홀하면서 큰 것을 떠드는 경우도 마찬가지지요.

아무리 오늘 할 일이 없다고 해도 오늘을 건너 뛰어 곧장 내일로 갈 수는 없지요. 어떤 큰 것도 작은 것을 소홀히 하고서는 완성할 수 없는 것이지요. 아무리 작은 것이라도 키워야할 것은 열심히 키우고 지워야 할 것은 과감히 지우는 것에서부터 그 인격은 출발하는 것이지요.

겨울연가

겨울연가를 기억하시지요? "My Memory"이던가요. 설원을 흐르는 피아노 선율이 인상적이었지요. 아마도 그 드라마를 찍을 때가 배용준과 최지우 평생 가장 싱싱하고 아름다운 시기가 아니었을까요. 풋풋하면서도 무르익은 감성연기가 감칠맛 나게 감미로웠지요. 누구나 한번쯤 돌이켜 꿈꾸어 봄 직한 사랑이었으니까요.

허긴 일부러 밝히지 않아서 그렇지 대개는 나름대로의 아름다움만큼이나 아프고 절절한 첫사랑의 추억이 있게 마련이지요. 그러니 한 편의 드라마가 한국을 넘어 일본 열도까지 지진을 일으킬 수밖에요. 일련의 간접적인 대리만족이었지요. 도대체 몇 번째일까요. 아직도 티브이에서는 겨울연가의 재탕을 되풀이하고 있네요.

참, 드라마에서 두 연인이 서로에게 가장 많이 한 말이 무엇이었지요? 사랑한다는 말이었을까요? 아닙니다. 미안하다는 말이었어요. 무작정 한없이 주고 싶은데 잘 안될 때 하는 말, 미안해! 그 말만큼 간곡한 고백이 또 있을까요. 그 한 마디가 긴 겨울을 넘기고 마침내 둘만의 봄을 맞게 한 것이지요. 그래서 겨울연가이지요.

사랑은 그런 것입니다. 사랑한다는 말보다 미안하다는 말을 많이 하는 그 마음이 곧 사랑하는 마음이지요. 정말 다 해주고 싶은데 못해 주어서, 더 해주고 싶은데 다 못해 주어서 안타까운 자신에 대한 채찍질이 곧 사랑입니다. 비단 남녀 간의 사랑뿐이 아니지요. 모든 사랑이 "미안한" 그 마음 때문에 불멸의 생명력을 갖게 되는 것입니다.

정체

유난한 추위입니다. 얼마 전만 해도 삼한사온이 겨울날씨의 특징적 현상이었지요. 겨울에도 추운 날보다 따뜻한 날을 하루 더 주신 신의 절묘한 배려였지요. 희로애락을 배분하되 그래도 절망보다 희망을, 고통보다 즐거움을, 불행보다는 행복을 더 베풀어 죽음보다는 삶의 의지를 북돋아 준 것이었습니다. 어찌 보면 사흘의 추위는 나흘의 따뜻함으로 교만해지기 쉬운 마음을 가다듬으라는 견제장치로 볼 수도 있었지요. 그런데 지금은 삼한사한이라는 신조어가 생길 정도로 추위 일색입니다. 그것도 자꾸만 지난해 겨울이 그리워지는 강추위이지요. 차츰 여름과 겨울의 완충지대인 봄과 가을이 사라지고 혹서기와 혹한기 두 철만으로 재편성되는 기후대의 일대 전환인가 싶어집니다.

봄이 무르익는데도 꽃샘추위랍시고 기승을 부리다 보니 난방이 만만치가 않네요. 요즈음엔 대부분 보일러를 사용하지만 예전에 사용하던 온돌방과는 열의 전도와 복사에 있어서 확연히 구분이 됩니다. 보일러는 단지 바닥만 따뜻하지요. 한 치라도 바닥을 벗어나면 온기라곤 감감 무소식이어서 마치 한류와 난류의 경계에 사는 것 같은 착각이 입니다. 그런데 온돌방은 다릅니다. 바닥은 물론 위아래, 사방이 다 고루 후끈후끈 하지요. 보일러는 호스를 따라가며 딱 그만큼 바닥에만 온기가 흐르는 것에 비해, 온돌은 구들돌을 구워삶은 화목의 불기운이 거침없이 위로 오르며 사방으로 퍼지는 차이지요. 호스 속의 열기는 반드시 호스가 있어야만, 호스의 길이만큼만 흐르지요. 호스와 연결 되지 않은 영역엔 한 걸음도 내딛지 않습니다.

우리 자신을 돌이켜 보실까요. 몸은 쉴 새 없이 움직이며 사방팔방에 눈을 팔기 바쁘지요. 그러나 마음은 사물이라는 오감의 대상, 즉 사고의 객관적 상관물이 있어야만 움직입니다. 그리고 그 매개물을 통해서만 속내를 드러내지요. 설사 눈을 감고 누워 공상한다고 해도 그것은 무수한 경험의 집적으로 각인된 기억 속의 사물을 불러내 노는 것이지요. 그 접촉 반응을 불가에서는 '오온' 이라고 합니다. 오음(五陰), 오취(五趣), 오중(五衆)이라고도 하지요.

그중 육신을 제외한 네 가지가 마음의 작용이지요. 구체적으로는 의식의 감수 작용으로서의 감각(受)·의식 중 개념, 지각, 표상을 구성하는 작용으로서의 표상(想)·능동적인 심리작용으로서의 의지나 행동적 욕구(行)·대상을 분석판단하고 종합 인식하는 마음의 활동(識)이지요. 여기에다 다시 변화무쌍한 물질의 합성인 육체(色)를 합하여 '오온(五蘊)' 이 되는 것이지요. 그리고 '오온' 의 취합을 '자아' 라고 부릅니다.

전기보일러의 전기에 비교해 보실까요. 마음은 '오온'의 일시적 취합인 전기가 눈, 귀, 코, 혀, 몸통이라는 전류를 통하여 바깥사물, 즉 대상에까지 이르는 작용인 셈이지요. 문제는 '오온'이 불변이 아닌 일시적이고 가변적인 존재라는 데 있지요. 당연히 '오온'의 주류를 이루는 마음 역시 온전한 자기 것이 아니지요. 마치 전기가 어느 일정한 대상을 좇아 잠시 흐르는 것에 불과한 것처럼 말이지요. 대상이 사라지면 전기는 아무 흔적도 없지요. 아니면 전기 고장으로 대상에 머물지 못하게 되거나요.

우리는 무수한 '오온'의 이합집산을 철석같이 자신으로 믿고 무리하게 집착하는 것입니다. 어쩌면 마음을 지킨다는 것이 기껏 '오온'의 이산가족 찾기나 다를 바 없는지도 모르지요. 그런데요. 아무리 내가 '오온'이라는 가상의 결합에 불과하다지만 그래도 지금 당장은 눈에 또렷하게 영하세계를 맴돌고 있는 수은주처럼 몸이 몹시 춥네요. 덩달아 마음조차도 썰렁해지는 기분입니다. 세상 민심도 날씨가 꽁꽁 얼어붙으니 예전 같지 않은가 봅니다.

그럴수록 마음이 흐트러지지 않게 추슬러 한데 잘 모아야 하겠습니다. 나와 내 마음이 영원불변이 아닌 일시적이고 가변적인 존재이기에 오히려 더 소중하고 안타깝지 않습니까. 낙엽이 지면 그것이 꼭 제 뿌리로만 가는 게 아니지요. 바람 따라 여기저기로 나뉘어 누구나의 거름이 되는 것이지요. 몸도 마음도 내게 머무는 동안이나마 제대로 갈고 닦아 우주에 내놓아야 할 것 같네요.

기도

옛날에는 순결한 마음으로 간절히 빌었기 때문에 마음이 정화되어서 병이 나았지요. 참회도 진심으로 하고, 기원도 진심으로 했지요. 참 기도였지요. 그러니 청결한 곳에 해충들이 범접을 못하듯 마음속에 깔려 있던 병 찌꺼기들이 못 견디고 사라진 것이지요. 혼신의 정성으로 빌면 반드시 낫는다는 믿음 또한 한몫했지요. 요샛말로 플라시보 효과도 상당했겠지요.

아메리카에 유럽의 발자국이 찍히기 전만 해도 인디언들의 영혼치료는 요새 정신과 의사 못지않게 영험이 있었다고 합니다. 우리 조상들도 마찬가지였지요. 그러나 지금은 미처 먹어보지도 못한 제물만 이것저것 차려놓고 건성으로 빌기 때문에 낫지 않지요. 그보다도 더럽혀진 영혼으로는 도무지 기도발이 먹히지 않는 것입니다.

기도는 결코 복을 비는 행위가 아닙니다. 기도 속에 사욕이 들어가 있다면 순수하지 못하지요. 기도를 모욕하는 요행심의 일단일 뿐이죠. 열심히 하겠으니 지켜봐 주시라는 정도의 응원요청은 괜찮겠지만요. 많은 이들이 멋모르고 남을 위해 기도한다지만 결국 자신을 위하는 것이지요. 기도를 통하여 자기 영혼을 정화하고, 남에 대한 마음가짐을 새로이 할 따름이지요.

기도에는 두 가지가 있습니다. 손으로 하는 기도와 발로 하는 기도지요. 신을 향해 두 손을 모아 비는 기도와, 이웃을 향해 발품을 팔아 복을 짓는 기도가 그것이지요. 기도 이전에 늘 남을 위해 생각하고, 베풀고, 즐거워하는 삶이 전제되어야 비로소 제대로 된 기도가 나올 수 있는 것입니다. 정성껏 드리는 진정한 기도는 병들고 흐트러진 마음을 다스리는데 더없이 효과적인 수단이지요.

비결

신년이면 책력과 토정비결을 펼쳐놓고 일희일비하던 기억이 새삼스럽네요. 성경엔 많은 예언자들이 나옵니다. 그리고 그들의 예언은 대부분 적중하지요. 성경을 흔히 예언서라고도 하지요. 그중에서도 "하나님을 잘 믿으면 천국 간다."는 구절처럼 단호하면서도 명징한 예언은 드물겠지요. 비단 성경뿐 아니지요. 대부분의 종교, 무수한 선각자들이 알게 모르게 예언을 해 왔습니다. 자칫 점술서로 오해 받기도 하지만 삼경 중에서도 가장 어려운 『주역』도 예언서적인 측면이 있지요. 정확도에서는 자신이 없지만 우리나라에도 『격암유록』이나 『정감록』 등 누대에 걸쳐 마치 하나의 민간신앙처럼 세간의 입에 오르내린 예언서가 있지요. "예수나 석가도 내가 세상에 내려 보낸 구세의 전령이다."라고 호쾌한 주체성을 과시한 강증산은 파격적이고 획기적인 예언을 많이 남겼지요.

저도 그냥 말 수 없네요. 그런데 제가 할 예언은 이미 많은 분들이 재탕 삼탕 한 것입니다. 그리고 또 많은 분들이 그 예언에 대처하기 위해 이 시각에도 땀 흘리고 있지요. 보실까요. 머지않아 지구촌에 재난에 다름 아닌 자원 고갈 현상이 발생할 것입니다. 자원 폭등의 시대가 오는 것이지요. 그때는 석유자원보다도 먹을거리가 더 심각한 숙제로 대두되지요. 당연히 청정한 무공해 식품이 금은보화보다도 값지겠지요. 벌써부터 신선식품 값이 30%나 치솟았다는 뉴스가 온오프라인을 도배하고 있네요. 너나없이 흙을 홀대하고 자연을 배반한 대가가 얼마나 가혹한지 땅을 치듯 아스팔트 바닥을 치게 되겠지요.

그런데 우리가 놓치기 쉬운 사실이 있습니다. 청정한 마음이야말로 자원 중에서도 최고의 자원이라는 귀띔입니다. 청정한 자연환경의 모체이자 핵심은 단연 청정한 마음이기 때문이지요. 세상이 더러울수록 깨끗한 마음은 귀하고 소중한 것입니다. 그런 마음이 대접을 받는 시대가 멀지 않았습니다.

산책

산책하면 떠오르는 뒷모습들이 있지요. 칸트는 산책하는 시간이 워낙 정확하여 사람들이 시계를 맞추었다는 에피소드가 전하지요. 지금쯤 외딴 별나라 오솔길을 홀로 거닐고 있을 법한 법정 스님도 생각납니다. 『고독한 산책자의 몽상』이라는 책을 남긴 루소도 있었지요. 월든 숲 강변을 노니는 소로우도 빼놓을 수 없겠네요. 제가 사는 산채 주변에 소쇄원이 있습니다. 그 대나무 숲길을 아직도 못 잊고 바람결에 점호라도 취하듯 다녀가는 양처사의 발걸음 소리가 들리는 것 같네요.

산책하면 뇌리를 스치는 단어에 명상이 있지요. 사색도 있네요. 명상은 영혼에 가깝다면 사색은 이성에 가깝다고 할까요. 도시의 번잡에 찌든 문명인들이 영혼을 맑히고 이성을 밝히는 최적의 장소로 산책로를 활용하는 것이지요. 자연에서 멀어진 발길을 자연에 바싹 붙이는 '본원적 귀향'이라고 할까요. 틱낫한 스님은 걸어 다니며 하는 '행선(行禪)'을 주장했지요. 아마 저잣거리의 행보도 산책길 걷듯이 하라는 뜻인가 싶네요.

뭇 철학자, 종교인, 예술가들이 산책길에서 불세출의 아이디어와 힌트를 얻었지요. 어디 그들뿐이겠어요. 자고이래 무수한 발길들이 마음을 가다듬고 일깨워 무엇인가를 차분히 생각하기 위해 산과 들 강변길을 걷는 것이지요.

명상이나 기도, 좌선은 마음의 고요를 위해 몸도 부동(不動)을 취한 것이지요. 산책은 마음의 정(靜)을 위해 몸의 동(動)을 빌리는 것입니다. 몸과 마음의 '동정일여(動靜一如)'가 이루어지는 시간이지요. 때로 가벼운 기분전환을 꾀하는 경우도 있지요. 역시 마음을 달래기 위한 나들이 임에는 다를 게 없지요.

천천히 거닐다 보면 마냥 들어도 신선한 풀, 꽃, 새, 풀벌레, 개울물소리가 새롭게 말을 붙이지요. 맑은 공기, 시원한 바람, 백발을 어루만지듯 저무는 햇빛, 우연히 비친 낮달 등도 한 풍경 거들지요. 대개의 외경들은 마음을 어지럽히기 십상인데요, 모처럼 바깥 사물이 그을음이 잔뜩 낀 마음을 상쾌히 씻어 닦아주는 것입니다.

마음이 답답할 때는 일부러 가까운 공원이나 산책로를 찾아보시지요. 뜻밖에 구들장의 고래가 터지듯 마음속 체증이 속 시원히 뚫릴 테니까요. 산책은 일상에 지친 심신을 치료하는 훌륭한 의원입니다.

소통

프랑스의 현대 철학자 자크 랑시에르의 『무지한 스승』에 다음과 같은 장면이 나옵니다. 자코토라는 프랑스 선생이 네덜란드 학생에게 프랑스어를 가르칩니다. 자신은 네덜란드어를 전혀 모르고, 학생들도 당연히 프랑스어를 모르지요. 이 상황에서 선택한, 지적 탐험이라고도 할 수 있는 하나의 방법이 '텔레마코스의 모험' 이라는 교재를 사용하는 것이었습니다. 왼쪽 면에는 프랑스어, 오른쪽 면에는 네덜란드어로 번역된 이 교재를 가지고 자코토가 한 유일한 일은 1장부터 외우기를 시키는 것이었지요. 그 외에 자코토가 할 수 있는 일은 없었습니다.

헌데 놀랍게도 학생들은 스스로의 방법으로 프랑스어를 읽고 쓸 수 있게 되었고, 이 방법은 피아노와 의학수업으로까지 확대되었습니다. 이 지적인 모험에서 네덜란드어를 모르는 자코토와 프랑스어를 모르는 학생들의 의지가 한 권의 텍스트를 통해 평등하게 결합되었지요.

그러니까 학생들의 지능과 번역자의 지능이 결합하게 된 것이지요. 이 과정에서 자코토의 지식은 어떤 역할도 하지 못했습니다. 신과 인간의 사이에서 통역을 하는 자연 역시 자코토나 다름없지 않을까요.

어쩌면 우리는 저쪽 페이지에 신의 언어를 두고 이쪽 페이지에 우리의 언어를 둔 교재를 펼쳐 놓고 씨름하는 것이 아닐까요. 그러니까 신의 언어를 우리의 언어로 번역하려면 자연이라는 통역이 필요한 것이지요. 그런데도 우리는 늘 자연을 지나치거나 오역하려 듭니다. 그뿐 아니라 갈수록 자연과 멀어지고 있지요. 그것은 곧 신과도 점점 멀어진다는 것을 뜻하지요. 분명한 사실은 신이라는 단어는 비록 인간이 만들었을망정 신은 결코 인간이 만들 수 없다는 점입니다. 인간은 신의 화신인 우주의 극히 작은 일부에 불과하기 때문이지요.

자연은 외경으로는 사물의 집합이지만 사실 그 내면은 우리의 마음에 다름 아닙니다. 우리 마음은 자연 형상들의 집합소이니까요. 현상학적 대상과 현상학적 주체가 함께 어우러지는 장소가 마음이지요. 마음의 청사진이 곧 자연인 것이고요. 자연의 본질은 우리의 마음과 그 뿌리가 맞닿아 있습니다. 그러기에 자연의 수화(手話)를 알아듣기 위해서는 직관의 어원인 저마다의 마음을 잘 들여다보아야 합니다. 물론 그 속에는 오래전부터 악수를 청하고 있는 신이 계시지요. 신을 만나는 순간, 굳이 인간의 언어 따위는 소용이 없는 것입니다.

속담

속담에는 오랜 경험과 지혜가 고여 있지요. 그래서 어떤 명언보다도 피부에 와 닿지요. 그러면 마음을 다룬 우리 속담을 찾아보실까요. 대뜸 "열 길 물속은 알아도 한 길 사람 속은 모른다."는 속담이 떠오르네요. 내친 김에 몇 개만 더 찾아보기로 하지요.

"얼굴은 알아도 마음은 모른다."

"산속에 있는 열 도둑은 잡아도 제 마음 속 한 놈 도둑은 못 잡는다."

"마음 한 번 잘 먹으면 북두칠성이 굽어보신다."

"똥 누러 갈 적 마음 다르고 올 적 마음 다르다"

"마음씨가 고우면 옷 앞섶이 아문다."

"마음에 없는 염불."

"마음은 굴뚝같다."

"마음을 잘 가지면 죽어도 옳은 귀신이 된다."

"마음이 즐거우면 발도 가볍다."

"정신을 빼어 꽁무니에 차고 다닌다."

"마음은 처가에 간다고 하고 몸은 외가에 간다."

"호랑이에게 열 번 물려가도 정신만 차리면 산다." 등이 대충 기억나네요.

하나같이 마음은 헤아리기 어렵다는 것, 정신을 똑바로 차려야 한다는 것, 마음씨를 잘 써야 한다는 것으로 요약됩니다. 마음의 중요성은 아무리 강조해도 부족하지요. 마음을 헤아리면서 잘 사용해 나가는 지행합일(知行合一)이 마음관리의 비책이지요. 그러기 위해서는 잠시도 마음의 고삐를 놓쳐서는 안 됩니다. 그러다 보면 마음도 점차 길이 들어, 가라 서라 안 해도 유유히 자유자재할 수 있는 경지에 이르게 되겠지요. 그것이 참마음이지요. 이를테면 진리가 항상 머무는 거처인 것이지요.

앎

"수박 겉핥기"라는 속담이 있지요. 껍질을 벗겨내지 않은 수박은 아무리 핥아도 미끄럽기만 할 뿐 그 맛을 알 턱이 없지요. 껍질을 자르고 속을 끄집어 내 입속에 넣어야 비로소 그 달고 시원한 진미를 제대로 느낄 수 있지요. 아는 것과 깨우치는 것의 차이도 그렇습니다.

요새 들어 부쩍 자식이 부모를 학대하고 때리는 것도 모자라 심지어 죽이기까지 하는 패륜 기사가 자주 눈에 띄네요. 세상 살맛 안 나네요. 그들이라고 부모의 은혜에 대해서 왜 모르겠습니까. 초등학교만 나왔어도 '효'라는 단어는 귀에 못 박혔을 텐데요. 수박 겉핥기식으로 귀동냥만 했기 때문이지요. 제대로 알았다면 감히 그런 끔찍한 일이 있었겠어요.

제대로 안다는 것은 스스로 뼈저리게 느끼는 것을 이르지요. 단순한 피상적 앎과 달리 속속들이 깨치는 것이지요. 앎이 유리 상자 속의 미라를 들여다보는 것이라면 깨침은 잃어버린 반쪽을 찾아 뜨겁게 포옹하는 것이지요. 머리로만 외우는 것과 온몸으로 전율하여 깨치는 것은 하늘과 땅의 차이가 나지요. 그것은 곧 지식과 지혜의 분수령이기도 하지요. 단순한 앎의 집합인 지식은 목전의 이익과 어울리기 쉽지만 무궁한 본질적 자산인 지혜는 깊고 높고 넓은 진리와 한통속입니다. 백을 아는 것보다 하나를 제대로 깨치는 것이 수십 배 더 차원이 높은 것이지요.

잠깐 성경을 보실까요. 구약부터 신약까지 아득한 장문을 몇 차례 반복해서 읽고 나니 제법 진리나 하나님에 대해 알 것 같지요. 그러나 하나님을 제대로 영접하려면 하나님의 말씀을 몸소 듣고 아로새길 때만 가능하지요. 머리로 외운 성경 지식을 육신과 영혼을 다하여 실천해야만 되는 것이지요. 그러다보면 그 간절한 짝사랑에 감응한 하나님이 드디어 가려운 손을 내미시는 것이지요. 그렇지 않고서는 아무리 성경을 백 번 천 번 읽고 달달 외워도 헛일이지요. 입으로는 가히 대하장설에 통달한 천하의 설법승들이 문득 생사를 담보로 면벽수행을 자청하는 것도 건성의 앎을 진성의 깨침으로 승화하기 위한 구도행각이지요.

뜨거운 가슴으로, 벅찬 영혼으로 깨치지 않고서는 함부로 안다고 떠벌릴 게 아닙니다. 역사를 돌이켜 보실까요. 멀리 갈 것도 없네요. 무수한 이 땅의 소위 내로라 하는 지식인들이 어쩌면 그리도 추악하고 자기기만적인 반지식의 이율배반에 빠지게 되는 것일까요. 피상적 앎에 그치기 때문이지요. 깨침이 없이도 안다고 자만하기 때문이지요. 그러나 깨침에 이르지 못한 앎은 차라리 모르느니만 못한 경우가 많습니다. 그 참담한 반작용이 공들여 가꾸어온 역사를 그르치고 세상을 피곤하게 하고 인성을 인간 이하로 퇴화시키기 때문이지요. 앎이 참된 믿음에 이르지 못하니 부초나 시계추처럼 흔들릴 수밖에요. 반사회적 유혹에 기생충처럼 이용당하는 것입니다.

마음의 가치에 대해서는 아무리 일러도 턱없습니다. 마음을 통하지 않고는 제대로 알 수 없으니까요. 깨침도 마음의 소관이기 때문입니다. 마음이 움직여야, 마음의 뿌리까지 울려야 참된 앎이 자리 잡게 되지요. 이윽고 세계와 자신에 대한 불퇴전의 믿음이 생기게 되지요. 마음에 지진이 일어야 비로소 진정한 앎이 주어지는 것입니다.

인디언

화랑은 호연지기를 기르기 위해 명산대천을 찾아 무예를 연마하고 심신을 단련했지요. "한 아이를 키우려면 온 마을의 노력이 필요하다."라는 격언에서 보듯 인디언들 역시 자녀 교육에 높은 관심을 기울였지요. 아이들이 청소년기가 되면 일정 기간 동안 밀림 속으로 보내 혼자서 지내게 했습니다. 우주의 언어를 익혀 자연과 하나가 되는 삶의 지혜를 스스로 터득하게 하려는 배려였지요. 인도에도 오십이 넘으면 숲 속에 들어가 사는 임서기(林棲期)가 있었지요. 가주기(家住期)를 통해 가사의 의무를 마친 뒤, 혼자만의 시간을 갖고 대자연으로의 귀환을 준비하기 위함이었지요. 사방이 온통 자연인 오지에 파묻혀 살면서도 더 깊숙한 자연의 품으로 들어간 것입니다.

인류 역사상 가장 아름답고 숭고한 영혼으로 아메리카 인디언을 꼽습니다. 그들은 서양의 정복자들과는 사고방식이나 가치관, 삶의 질이 판이하게 달랐지요. 마치 어른이나 신이 아이들을 상대하는 것처럼 서양인들을 대했지요. 고도로 문명화된 서양인들이 영혼이나 정신, 사고방식에 있어서 오히려 그들에게 한참 야만으로 비쳤지요.

그들이 뛰어난 점은 자연과의 화음을 위해 끊임없이 자기 성찰을 일상화한 것이지요. 그들이 우리와 같은 뿌리를 하고 있다는 이야기가 있습니다. 몽골에서 한반도로 내려온 우리처럼 그들은 몽골에서 베링해협을 건너 아메리카로 갔다는 것이지요. 얼굴과 피부도 비슷하지요. 주어+목적어+동사 순의 어순도 같지요. 비슷한 낱말도 꽤 되나 봅니다. 또한 우리가 화랑을 산천으로 보냈듯 그들도 자식들을 스승이자 어머니인 자연에게 보내 훈련을 맡겼습니다.

다만, 아메리카가 워낙 광활한 땅이어서 그랬을까요. 우리가 인간 중심의 '홍익인간'을 슬로건으로 한 인위적 소승 수준인 반면에 그들은 포괄적 우주인 대자연 위주의 우주적 대승 수준이었습니다. 자연 친화적 삶은 정신 건강에 있어서 예나 이제나 단연 최고의 환경이지요. 오히려 지금처럼 문명의 오폐수로 찌든 세상이 자연의 청정약수에 몇 배 더 목마른 것이지요.

좌와 우

좌파니 우파니 따위의 귀에 설은 판 가르기가 마뜩잖은 시사상식으로 애먼 귀를 고문해온 지도 오래 되었습니다. 예전엔 좌익과 우익으로 표현되던 것이 언제부턴가 좌파와 우파로 불리게 되었지요. 마치 날개가 꺾인 채 상처투성이 발갈퀴로 진흙탕만 후벼대는 무익조(無翼鳥)를 바라보는 기분이네요. 해방정국부터 좌우합작 운운하던 정치적 몸부림이 있었지만 상극의 좌우대결만 난무할 뿐 아직도 공동운명체적 좌우동향(左右同向)은 요원하기만 한 것처럼요.

성경에도 좌우를 빗댄 표현이 많지요. 언뜻 "남에게 베풀 때는 오른손이 하는 것을 왼손이 모르게 하라(마태복음 6:3)."와 "오른뺨을 치거든 왼뺨도 내놓아라(마태복음 5:39)."는 구절이 떠오르네요. 절마다 부처도 보란 듯 좌우에 나란히 두 협시보살을 끼고 있습니다. 그렇듯 좌와 우의 순수한 사전적 의미는 사회생활 중의 편의적 합의에서 비롯된 일상적 방향 지시어에 불과한데도 불구하고, 괜히 오른쪽은 옳은 것을 상징하는가 하면 왼쪽은 부정적인 이미지를 둘러쓰게 되었지요.

보실까요. 흔히 아군을 우군이라고도 하지요. 내직에 있다가 외직으로 밀려나면 좌천이라고 하고요. 예전에는 옷을 입을 때도 깃을 오른쪽으로 하는 '우임' 으로 입어야지 깃을 왼쪽으로 하는 '좌임' 은 오랑캐의 방식이라고 경계했지요. 아내도 정실을 '우부인' 후실은 '좌부인' 이라고 했고요. 또 오른손을 바른손이라고 부르기도 하지요 -요즈음엔 잘 안 쓰지만- 악수를 나눌 때도 왼손을 내밀면 실례가 되지요. 술잔을 받을 때도 마찬가지고요. 비단 술잔뿐이 아니고 어떤 물건이건 오른손으로 주고받는 게 예의인 양 부지부식 간에 버릇이 돼 온 것이지요. 우리는 대부분 오른손잡이이듯이 아직도 아이들에게 왼손잡이 기미가 보이면 부랴부랴 오른손을 사용하도록 다그치지요. 지금은 많이 완화되기는 했지만 아직도 왼손잡이는 고쳐야할 나쁜 습관의 대상으로 받아들이는 것입니다. -람세스를 비롯해 아리스토텔레스, 알렉산드로스, 카이사르, 잔 다르크, 레오나르도 다빈치, 미켈란젤로, 라파엘로, 나폴레옹, 간디, 처칠, 슈바이처, 모차르트, 뉴턴, 포드, 마크 트웨인, 레이건, 부시, 클린턴, 빌 게이츠, 마리 퀴리, 찰리 채플린, 베이브 루스, 존 매켄로 등 쟁쟁한 인물들도 왼손잡이들이었다고 하지만-

우리말을 거슬러 올라가면 '오른손' 은 '옳은 손' 을 뜻하고 '왼손' 은 '그른 손' 을 뜻하는데요. '오른' 은 '옳다' 는 뜻의 옛말 '올하다' 의 관형형 '올한' 이 변한 것이고, '왼' 은 '그르다' 는 뜻의 옛말 '외다' 의 관형형 '왼' 에서 온 것을 알 수 있지요. 그러니까 우리 정서에는 알게 모르게 우측 우월주의 편향의 고정관념이 뿌리 박혀 있는 셈이지요. 이번에는 한자를 한번 살펴보실까요. '좌(左)' 는 밑자리에 장인, 공장을 뜻하는 공(工)자를 앉힌 반면 '우(右)' 는 입구(口)자를 앉히고 있지요. 마치 '좌' 가 죽어라고 일을 해서 만찬을 바치면 '우' 는 바로 곁에서 실컷 놀다 그 큰 입으로 독식하는 상상을 불러일으키지요.

동서를 막론하고 오른쪽 우대의 경향, 즉 왼쪽에 대한 편견과 미신의 역사는 끈질기고도 깊은데요. 산스크리트어, 그리스어, 라틴어 등 대부분 유럽 언어의 원류인 고대인도- 유럽어에는 오른쪽이라는 단어는 있었으나 왼쪽이라는 단어는 존재하지 않았다고 하지요. -한참 후에야 '왼쪽' 이라는 단어를 만들어냈지만, 대부분 나쁜 의미로 사용되었지요.-

서양의 경우를 보실까요. 왼쪽을 뜻하는 sinister는 사악하고, 불길하다는 형용사인 반면 오른쪽을 뜻하는 dexter에는 행운과 행복이라는 의미도 있지요. 왼손잡이인 left-handed에는 엉터리라는 의미도 포함돼 있지요. "오른손잡이(right)들은 권리(rights)를 갖고, 그렇지 않은 사람들(left)은 뒤처져(behind) 남겨진다."는 좌측 폄하의 구절을 비롯해, 서출 출신의 아이를 born from the left side of the bed로, 간통을 left-handed marriage로, 잘못된 추론을 left-handed wisdom로, 정부(情婦)를 left-handed wife로 표현하듯 오른쪽에 비해 왼쪽은 부정적인 상징이나 의미로 사용되고 있지요.

인도에서도 오른손으로는 밥을 먹지만 왼손으로는 밑을 씻지요. 오른쪽은 성스러운 세계이며, 정결한 방향이지만, 왼쪽은 속(俗)의 세계이며 불결하고 비정상적인 방향으로 폄하되지요. 부처의 수인 중에 천지인(天地印)이 있지요. 부처가 태어나자마자 오른손은 하늘을, 왼손은 땅을 가리키면서 "천상천하 유아독존(天上天下唯我獨尊)"이라고 외쳤던 데에서 유래한 수인인데요. 오른 손은 위로 하고 왼손은 아래로 향하고 있지요.

성경에서도 "참으로 나의 의로운 오른손으로 너를 붙들리라(이사야 4:10)."라는 구절에서 보듯이 오른쪽은 축복과 구원, 영생을 의미하지만 왼쪽은 심판과 저주, 사망을 상징하지요. 야곱이 두 손자를 축복하는 예언의 자리에서 형인 므낫세와 아우인 에브라임의 위치를 서로 바꾸는 장면이 나옵니다(창48:14). 오른손은 에브라임의 머리를 짚고 왼손은 므낫세의 머리에 얹은 채 축복의 기도를 시작하지요. 요셉이 깜짝 놀라서 순서를 바로 잡기를 고하지만 야곱은 그것이 옳다고 합니다. 야곱은 에브라임을 일컬어 베냐민-오른손의 아들-이라고 하지요(창35:18). 오른손의 아들이란 구원과 행운의 아들로 하나님의 능력과 위대한 권능은 곧 오른손으로 나타나는 것을 이르지요. 다시 말하면 오른손은 성서에서 능력과 지배를 상징합니다. 그러기에 초대교회는 부활한 그리스도가 하나님 오른쪽에 주석한 것으로 믿었지요. 그리고 마지막 날 주의 심판대 앞에서 구원받은 이들은 오른쪽으로, 나머지는 왼쪽으로 갈라 놓여진다고 말하고 있지요.

어찌 보면 극성스러우리만치 기독교가 성행하는 이 나라의 사회풍토 속에서 마치 특별히 혜택이라도 받은 양 분에 넘치는 부귀와 권력을 누리는 세력들이 마냥 오른쪽 즉, 우익을 자처하며 고집하는 저의도 혹시 그 영향의 일단인지 모르겠네요. 지킬 것이 많은 -잃을 것이 많은- 보수 세력들이, 세상엔 아직도 고쳐야할 것이 많다고 덤비는 -절망 말고는 잃을 것조차 없는- 무리들을 불순한 좌파로 매도하며 마치 우익은 선택된 성역인 양 악착같이 고수하려 드는 것을 보면요. 너무도 빤하고 상식적인 것일수록 뒷전에서 눈 감고 -요새는 버젓이 눈뜨고 하지만- 아웅 하는 게 이 나라의 정치적 현실이니까요. 그러나 자동차는 좌우 네 바퀴가 고르고 멀쩡해야 구르듯 우리 몸만 해도 눈, 코, 귀, 손발, 어깨, 팔다리 등 좌우 양쪽이 동시에 두루 건강하게 작용해야 편히 살 수 있지요. 조금만 깊고 넓게 생각한다면 국가사회도 하나의 유기체, 즉 커다란 몸에 다름 아닌 것이지요.

원래 좌와 우는 우열이나 선후, 귀천을 가리키는 추상어가 아니지요. 그런데 좌와 우가 본의 아니게 이념적 굴레를 쓴 것은 프랑스 혁명 당시 국민공회에서 지롱드당은 오른쪽 좌석에 앉았고, 자코뱅당은 왼쪽에 앉은 데서 유래하는데요. 오늘날까지 혁신적이고 급진적인 좌파와 보수적이고 온건한 우파의 개념은 단순한 좌석 배치를 그 역사적 배경으로 하고 있는 것이지요. 한편 '좌익', '우익'은 영어 "left wing, right wing"을 일본 사람들이 먼저 '사요쿠(左翼)', '우요쿠(右翼)'라고 번역했고, 그것이 정치적 용어로 변질되어 도용된 것이지요. 아마도 보수 쪽에서는 은연중에 역사적으로나 어원적으로 우월하고 기분 좋은 오른쪽을 선점하고 나서 상대를 천박하고 비정상적인 상징의 멍에를 안고 있는 왼쪽으로 몰아 세우다 보니 좌우익이니 좌우파니 따위의 이념적 용어가 마치 오랜 토착어마냥 굳어진 것일 수도 있겠지요. 그러니까 오른쪽은 역사적으로 늘 강자이자 기득권자이며 선택받은 자들의 토호적 보금자리로 자리매김 된 것이지요.

그러고 보니 "자라 보고 놀란 가슴 솥뚜껑 보고도 놀"란 탓일까요. "사람은 왼쪽 차는 오른쪽"이라는 예전의 교통 안내 표어조차 새삼스럽네요. 도로와 인도의 구분이 따로 없던 시절, 차들은 줄지어 오른쪽을 독점하고는 도로의 왼쪽 갓길을 주춤거리며 어렵사리 걷는 행인들을 저만큼 뒤로 한 채 묘기라도 부리듯 유유히 달리기 일쑤였지요. 차만 해도 좌회전은 반드시 신호를 기다려서 해야 하고, 때로 모든 책임을 자신이 져야 하는 '비보호 좌회전'을 해야 하지만 우회전은 눈치껏 해도 되지요. 차에서도 귀빈석은 뒷좌석 오른편이고요.

그런데 역설적이게도 우리의 언어는 구어체와 문어체, 관념어와 지시어를 가리지 않고 왼쪽과 오른쪽 양방향을 아울러 가리킬 때는 좌우간 왼쪽부터 시작하지요. 『새는 좌우 날개로 난다』는 책 제목에서처럼, 통상 양쪽을 한데 묶어 가리킬 때는 우좌가 아닌 좌우로 부르지요. 제식훈련에서도 왼발이 먼저 나갑니다. 좌우로 나란히! 좌우로 정렬! 등 구호를 외치면서요. 가로 글쓰기도 좌에서 우로 시작하지요. 그러니 읽기 역시 좌에서 우로 눈길을 좇을 수밖에요. 풍수에서도 좌청룡 우백호라고 부르지요. 또 있네요. 조선시대의 벼슬을 보실까요. 좌의정 우의정, 좌참판 우참판, 좌찬성 우찬성, 좌참찬 우참찬, 좌승지 우승지 등 하나같이 왼쪽부터 시작되지요. 왕세자를 보필하고 가르치던 세자시강원만 해도 좌빈객 우빈객, 좌부빈객 우부빈객, 좌필선 우필선, 좌보덕 우보덕, 좌문학 우문학, 좌사경 우사경, 좌정자 우정자 등 대부분의 벼슬을 좌우로 나누어 역시 왼쪽부터 불렀지요. - 고려시대까지만 해도 좌우 구별이 없었는데 조선시대에 와서 유난히 관직에 좌우 칭호가 많은 게 특이하군요. 과연 당파싸움이 그칠 날 없던 사화와 환란 시절의 언어풍경답네요.- 아무래도 갈수록 심각해지기만 하는 양극화가 화급한 국가적 화두로 떠오른 판에 좌측부터 잘 살펴야만 우측 또한 온전하고 나라가 평안해진다는 일단의 암시적 전언인 것만 같네요.

우리의 뇌에도 좌뇌와 우뇌가 있습니다. 이성적인 좌뇌는 언어를 다루고 논리를 중시하고 규칙적이고 체계적인 반면 감성적인 우뇌는 이미지를 생산하며 음악적, 예술적 감각이 있고 상상력과 통찰력, 직관력 등이 발달해 있지요.

뇌는 우리 마음과 불가분의 관계에 있습니다. 뇌가 맑고 고요해야 마음도 덩달아 평화롭지요. 따라서 안으로는 좌뇌와 우뇌를 고루 맑히고 밝히며 밖으로는 합목적 정도를 벗어난 좌우 이념의 허상에 사로잡히거나 연연하지 않는 민주적 양심 본연의 중심을 묵묵히 지켜나가는 가운데 안팎이 상부상조하며 서로를 견인하는 내외겸전(內外兼全)의 실답고 아름다운 조화를 이루어야 하겠습니다.

주의

방문을 닫다가 잘못하여 손가락을 다쳤습니다. 내 손가락이게 망정이지 남의 손가락을 그랬다면 얼마나 송구스러운 죄일까요. 여기서 "잘못"했다는 것은 마음 관리를 못했다는 이야기지요. 다시 말해 부주의한 것이지요.

김수환 추기경이 그랬던가요. "부주의한 말 한마디가 싸움의 불씨가 되고, 잔인한 말 한마디가 삶을 파괴합니다. 은혜로운 말 한마디가 길을 평탄케 하고, 즐거운 말 한마디가 하루를 빛나게 합니다. 그리고 사랑의 말 한마디가 축복을 줍니다."라고요. 쉬우면서도 듣기에 좋은 말씀이지요.

그런데 여기에서 첫 마디에 '부주의'란 단어가 나오지요. 주의를 소홀히 한 것을 부주의라고 합니다. 그렇다면 '주의(注意)'는 무엇일까요. 둘 주(注)에 뜻 의(意)군요. 뜻을 두는 것, 즉 어디어디에 주의한다는 것은 일정한 사물이나 상대에 마음을 기울이는 것이지요. 마음을 둔다는 것이지요. 좀 더 적극적으로 표현하면 마음을 준다는 것이고요. 또 주(注) 자에는 흐른다는 뜻도 담겨 있지요.

마음이 흐르는 것을 놓친, 즉 마음을 놓친 것이 부주의이지요. 그런데 우리는 심심찮게 부주의하게 되지요. 어찌 보면 우리의 삶이라는 게 '부주의'와 '주의'가 티격태격하는 것이지요. 주의를 못하니까 부주의가 그 틈을 타고 해방선언을 하는 것이지요. 고삐 풀린 마음이 뺑소니를 치는 것입니다.

부주의는 자기를 도둑맞은 것이지요. 부주의한 순간 우리는 자신을 잃어버리는 것이지요. 주인 없는 빈집만 댕그라니 남아 있는 것이지요. 그 텅 빈 허우대를 상상해 보십시오. 마음이 없으니 몸이라고 어디 제대로 작동하겠습니까. 자기 마음과 전혀 상반된 결과가 나올 수밖에요. "잔인한 말 한마디가 삶을 파괴" 한다고 했지만 '부주의'도 얼마든지 삶을 망가뜨리는 파괴력을 지니고 있지요. 끔찍한 사실입니다. 항상 매사에 주의하는 습관을 길러야겠습니다.

아무튼 "마음아 나 살려라"하고 그 뒤춤을 꼭 움켜쥐고 살아갈 수밖에 없는 노릇입니다.

무엇보다도 마음은 착하고, 맑고, 밝고, 따뜻하고, 고요하고, 사랑이 가득 찬 곳에 비로소 본격적인 똬리를 틀고 뿌리를 내리는 까다로운 습성이 있음을 잊지 말아야 하겠습니다.

평화

이제 세상은 생존경쟁도 부족해서 생존투쟁의 장터로 피곤에 지친 발길들을 몰아세우고 있습니다. 한편 경쟁에서 밀린 낙오자들의 비상구인 자살 비율은 상상을 뛰어넘고 있습니다. 그것을 사회적 타살, 그러니까 우리 모두의 공동책임이라고 잘도 떠들지요. 그러면서도 너나 할 것 없이 이웃을 절망의 구렁텅이로 빠뜨리는 서바이벌게임에 미쳐가지요. 이웃, 친구, 스승과 제자, 형제까지도, 그 머리는 손발을 자르게 하고 오른손은 왼손을 자르도록 다투어 부추기고 있는 실정이지요.

말이 그렇지 어디 선의의 경쟁이 쉽습니까. 허울만 그럴듯하게 포장하여 내세울 따름 실은 잔혹하고 이기적인 동물적 본능이 교활한 이성/지식을 등에 업고 못된 요량을 부리는 것이지요. 슬프지만 그것이 현대를 살아가는 인간이라는 별종들의 한계이자 속성인 걸요.

보실까요. 경쟁은 약육강식의 실명입니다. 오직 강자만의 논리일

뿐이지요. 아무리 정정당당을 강조해도 경쟁은 결국 일방적일 수밖에 없으니까요. 시장논리는 곧 힘의 논리에 다름 아니니까요. 카인이 아벨을 살해한 것도 경쟁심 탓이듯 경쟁은 친구와 형제조차 적으로 만듭니다. 경쟁은 한 사람의 모피 코트를 위해 아홉 사람을 한 겨울에 발가벗겨 한데로 내모는 것이지요. 경쟁은 필연적으로 수단과 과정의 타락과 퇴행을 부르기 마련입니다. 따라서 현대사회의 경쟁은 정신병동에의 초대장이지요. 미치지 않고서야 어찌 만물의 영장이 동물 이하로의 타락을 서슴지 않겠습니까.

토끼와 거북이 이야기 아시지요? 우리는 지금 오로지 눈멀고 귀 닫힌 토끼의 경주에 부르튼 발과 혼을 빼앗기고 있습니다. 그리고 거북이는 무조건 도태의 대상일 뿐이지요. 이러다가는 머지않아 공멸하고 만다는 데는 모두가 공감하는 척하지요. 그런데 그 이전에 대부분 미치거나 심각한 질환으로 질식하고 말겠지요.

어쩝니까. 더 이상 미치지 않으려면, 아주 미치지 않았다는 것을 증명하려면 지금이라도 미쳐가고 있다는 사실을 인정하고 바짝 정신 차리는 것 밖에요. 이쯤해서라도 제발 눈먼 질주를 닦달하는 고속도로를 백척간두 진일보의 심정으로 탈출하는 수밖에요. 암울한 내일로부터 머지않아 도태 될 게 아니라 내가 먼저 '미친 세상' 을 도태시키는 것이지요. 더 이상은 허울 좋은 현대문명의 채찍질에 피멍 든 궁둥이를 내맡기지 않는 것이지요.

그 다음엔 머뭇거리지 말고 가벼운 걸음으로 무한경쟁을 일삼는 토끼의 상극을 떨치고 공동운명체적 평화를 지향하는 거북이의 상생으로 돌아가는 것입니다. 그 지도는 미래의 서점에는 결코 없습니다. 이미 우리 가슴속 면면히 두렷한 유전인자로 아로새겨져 있는 것입니다. 또 인디언 이야기를 안 할 수 없네요. 그들은, 소위 최고의 선진국이라고 자타가 입을 모으는 지금의 미국인과는 비교할 수 없이 지혜롭고, 평화롭고, 자유로운 고차원의 영혼과 삶의 질을 향유하고 있었지요. 경쟁의 무상함과 해악을 한참이나 미리 깨친 그들의 가슴과 언어는 고요의 평원을 유유히 누비는 맑은 물소리와 새들의 노래를 닮아 있었지요.

경쟁심이 아닌 평화심이야말로 마음의 제자리입니다. 우주의 본심이지요. 제정신으로 돌아가는 게 무엇일까요. 인간의 한계를 벗어난 과열경쟁으로 병들고 지친 마음의 건강과 평화를 이루는 것 아닌가요. 그 축복을 이웃으로, 우주로 확장해 나가는 것이 참된 사랑의 실천이지요. 내가 마음의 평화를 이루면 신은 벌써 그 자리에 이르러 반가운 악수를 먼저 청하게 될 것입니다.

고독

산속에서는 한결 계절에 눈이 밝아집니다. 철 소식을 일러바치는 것들이 많기 때문이지요. 사방에 널린 초목들의 갖가지 옷 때깔과 향기가 오감을 가만두지 않습니다. 이름도 채 모를 새들과 앞 여울 뒤 계곡의 낭랑한 목청도 한 몫 거들지요. 반딧불도 한 풍경입니다.

한편 겨울은 그것들의 유난한 침묵이 대신합니다. 눈이 길을 막을 정도로 퍼붓는 날이면 산채에는 사막 못지않은 적막이 깊게 감돕니다. 적막강산에서 마음은 되돌아온 겨울 철새나 진배없지요. 별 볼일 없는 바깥에 실망한 마음이 심심하다고 먼저 일러바치지요. 시키지도 않았는데 고독이라는 어휘를 물고 와서 시린 가슴을 파고드는 것입니다. 그렇듯 겨울은 바깥의 것들에게 빼앗긴 마음이 제 발로 찾아오는 계절이지요. 종잡을 수 없던 마음을 고스란히 만나게 되는 것입니다.

고독은 마음의 집입니다. 자신의 거울이구요. 그동안 잊고 살았던 자신을 되돌아보게 되는 것입니다. 고독을 통해 비로소 자신과의 해후가 이루어지는 것입니다. 그리하여 자신과의 진솔한 대화가 시작되지요. 고독을 만나 제법 철들어 보이는 마음이 그 언어입니다. 잘하면 마음이 마음을 잡고 마음을 되찾아 다스리는 마음의 귀거래사를 마음껏 들을 수 있지요.

고독의 전령인 겨울은 바깥에 소란스럽게 빼앗겨 온 자신을 안에서 고요히 되찾게 해주는 내밀한 축복의 시간이지요. 고독은 결코 견디기 힘든 쓸쓸함만이 아닙니다. 마음을 비우고 닦아서 정결하게 살찌울 수 있는 절호의 기회이자 동력인 것입니다. 그러니 고독한 시간을 가끔은 일부러 가질 필요가 있습니다. 그러다 보면 차츰 고독을 즐기며 함께 어울려 놀 수 있게 되지요. 나아가 세상과 어울려서도 안팎이 둘이 아닌 경지에서 유유자적할 수 있게도 되지요.

긍정

니체를 일컬어 긍정의 철학자라고 하지요. 그러나 그는 신의 사망 선고를 필두로 서구 문명의 타락과 병폐에 대해 무지막지한 부정과 파괴의 망치질을 했지요. 그런데도 그가 긍정의 철학자로 회자되는 것은 영겁회귀에 따른 초인적 힘에의 의지와 -권력에의 의지라고도 하지만 어감이 좀 켕기네요.- 디오니소스적 생의 환희에 대한 뜨거운 긍정, 곧 긍정에의 의지를 노래했기 때문이지요.

파사현정도 마찬가지지요. 최후의 일각까지도 부정하여 때려 부수기를 멈추지 않는 파사도 결국은 현정이라는 궁극의 긍정을 기약하기 때문에 그 가치를 잃지 않는 것이지요. 그렇듯 위대한 사상이나 철학, 종교에 있어서 하나같이 부정은 긍정의 충실한 도구로 사용되지요. 마치 부정은 긍정의 효과를 극대화하기 위한 희생제의 같은 느낌마저 들게 하지요.

문득 『욥기』에서의 욥의 시련이 떠오르네요. 어느 경우든 필경엔 부정을 극복한 긍정이 최후의 승자로 자리매김 되는 것이지요. 그런데도 우리는 부정의 늪에서 헤어나지 못하고 허우적거리기 일쑤지요. 다시 말해 일시적이거나 실체가 모호한 절망에 굴복하여 긍정의 의지조차 헌상하려 드는 것입니다. "죽음에 이르는 병"을 자초하는 것이지요.

지구는 태양이 없으면 존재할 수 없습니다. 아무리 추운 겨울이라도 태양이 비추어 주기에 존재하는 것은 너무도 자명한데요. 엄연히 살아 숨 쉬면서도 좀 춥다고 태양의 존재조차도 부정하려 드는 것은 지나친 왜곡이자 편벽이지요. 봄이 오지 않는다고 생각하여 종자마저도 죄 먹어치우는 겨울과, 바리바리 씨앗을 준비해놓고 봄을 기다리는 겨울의 차이는 하늘과 땅만큼이나 멀지요.

잠시 눈을 크게 뜨고 주변을 살펴보실까요. 눈부신 꽃, 청아한 목청의 새, 티 없이 웃는 아기 등, 아름답고, 즐겁고, 반가운 이웃들이 도처에서 손짓하고 있지요. 물론 그 못지않게 슬픔과, 암울과, 고통들도 상존하지요. 거기에다 미처 살피지 못했고 드러나지 않은 음지는 또 얼마이겠습니까. 그래도 어쩝니까. 누구나 불행보다 행복을 원하지요. 병보다 건강을 원하지요. 악보다는 선을 원하지요. 그러니 겨울에도 봄을 기다리듯 밝고, 기쁘고, 착한 쪽에 남은 생의 주사위를 던질 수밖에요.

그렇다고 불의나 죄악조차도 모르쇠 덮어버리자는 이야기는 아닙니다. 세상에는 아직도 불의나 죄악이 널려 있지만 그래도 그것을 씻어내고 줄이기 위해 애쓰는 분들이 많다는 사실을 긍정하자는 것이지요. 그리고 모름지기 그 편에 들자는 것이지요. 어떤 절망 속에서도 희망하는 법을 알고 그 끈을 놓치지 않으면 머지않아 먹구름을 뚫고 청천하늘이 버선발로 찾아오게 되지요. 세상에 그처럼 확실한 진리는 없습니다.

성현들은 이해관계에 얽히기 쉬운 우리네의 긍정보다도 월등 차원이 높은 -부정과 긍정의 이분법을 훌쩍 넘어선- 대긍정을 몸소 실천하였지요. '걸림이 없는 마음' 이 곧 긍정의 참 경지 아닐까요. 마음의 미용을 위해서도 긍정은 최고의 화장품이지요. 천국이 따로 없지요. 맑고 밝은 긍정으로 충만한 마음이 곧 천국이지요. 긍정의 미학과 가치에 대해서는 너무도 많은 사람과 책들이 재탕한 바 있지요. 그래도 새삼 긍정의 신바람을 열백 번 강조해야만 하겠습니다. 우선 저 자신한테부터 간곡히 타일러야겠습니다.

내일

그날그날 필요한 토끼만 잡아 서로 사이좋게 나누어 먹던 부족들이 있었지요. 아마 인디언들이었지요. 그들은 소위 문명인이라는 작자들이 며칠 혹은 몇 달 치의 토끼를 한꺼번에 잡아서 냉장고 속에 저장하는 것을 이해할 수 없었지요.

누가 더 현재의 삶에 충실했을까요. 누구의 삶이 더 효과적이었을까요. 산 토끼를 산에 저절로 키워서 필요할 때마다 싱싱한 것을 먹는 것과, 죽은 토끼를 냉장고에 가두어 한참 떨어진 맛의 토끼를 먹는 것 중 누가 더 현명할까요. 몇 마리의 죽은 토끼를 가두기 위해서는 냉장고는 전기를, 전기는 석유를, 석유는 정유시설을 필요로 하는 등 끊임없는 연쇄적 수요가 발생하지요. 그러나 인디언은 건강한 몸, 이웃과 즐겨 나누어 먹는 마음만으로 충분 했지요. 싱싱한 토끼는 사방에 널려 있었으니까요.

인디언과 문명인의 차이는 각각 현재와 미래에 가치를 두는 그 시간관에 있지요. 인디언은 순환적 시간관을 자연을 통해 몸소 익혔지요. 그들에게 현재는 영원의 동의어지요. 반면 문명인의 시간관은 직선적이지요. 미래를 향한 전진만이 지고의 가치기준이지요. 이미 저질러온 자연에 대한 항명을 돌이키기 힘들기 때문이지요.

그러나 정확히 말해서 미래란 없습니다. 일단 아직 오지 않았지요. 꼭 온다는 보장도 없지요. 온다고 해도 잠시도 머물지 않고 스쳐 가버릴 게 빤하지요. 우리는 기실 존재하지도 않는 미래에 팔려 현재를 억류하고, 유보하고, 외면하기 바쁘지요. 그 탓에 인류는 끊임없이 불행과 불안과 후회의 늪 속을 허우적거리고 있습니다. 결국은 우리 모두의 현재를 미래에 약탈당하고 있는 것이지요. 현재를 홀대한 저주이지요.

만약에 현재의 중요성을 깨우치고 산다면 필요 이상으로 소유한 자들처럼 어리석은 '미필적 고의의 죄인' 은 없지요. 그들은 미래를 위해, 정확히 말하면 미래의 몫을 위해 무수한 이웃의 현재를 도륙하고 있는 것에 다름 아니니까요. 미래에 투자할 재화의 절반만 현재에 할애해도 세상은 몇 배나 생기차고 살만할 텐데요. 그런데 인디언의 시간관과 궤를 같이 해온 우리가 언제부턴가 되지도 않는 미래 찬가에 목을 혹사하기 시작한 것입니다. 일종의 병이지요. 중병입니다. 현재라는 날것을 못보고 미래라는 헛것에 매달리는 심각한 정신병이지요.

마음은 지극히 현재적입니다. 늘 현재에 방점을 찍지요. 그러니까 현재를 직시하고 현재를 누리는 것은 곧 마음의 현주소에 충실한 것이지요. 천국이나 극락은 결코 미래의 것이 아닙니다. 마음의 허락 없이는 불가능한 것이니까요. 마음의 시계바늘은 항상 현재를 가리키고 있다는 사실을 망각해선 안 됩니다. 그 현재에 투자하는 것이 미래를 위한 최선의 대책이라는 사실도 아울러서 기억해야 하겠지요.

코

미신

자그마치 4절까지 있는 데다 절마다 후렴까지 덧붙여야 하는 애국가는 "동해 물과 백두산이 마르고 닳도록"으로 시작됩니다. 마치 동해가 마르고 백두산이 닳아 없어지도록 하느님께 비는 것처럼 들리지요. 물론 무궁한 수명토록 나라를 하느님께서 지켜 주신다는 뜻이지만요. 내친김에 또 보실까요. 4절에 "바람서리 불변함은 우리 기상일세."가 있지요. 언뜻 그치지 않는 바람이나 서리가 우리의 기상이라는 뉘앙스로 오해하기 쉽지요. 모진 바람과 서리에도 끄떡하지 않는 우리의 기상을 이른 것으로 재해석하지 않으면요.

요새 성경 구절을 잘 못 해석해 어린 자식들을 셋이나 죽음에 이르게 한 목사 부부 기사로 세상이 시끄럽네요. 구약의 잠언 24장 13절에 "아이를 훈계하지 아니하려고 하지 말라. 채찍으로 그를 때릴지라도 그가 죽지 아니하리라. 그를 채찍으로 때리면 그의 영혼을 구원하리라"는 구절을 믿고 그랬다고 하지요. 그런데 제가 가지고 있는 성경의 구약 잠언 24장 13절에는 아무리 눈을 씻고 보아도 "내 아들아, 꿀은 몸에 좋으니 꿀을 먹어라. 꿀은 네 입에 달 것이다."고 씌어 있네요. 혹시 잘못 번역되었을까 하고 영어로 된 성경을 떠들어보아도 내내 "Eat honey, my son, for it is good; honey from the comb is sweet to your taste."로 기록돼 있고요. 일단 그 출처가 어디인지는 모르겠지만 그래도 현직 목사이고 보니 일부러 없는 말씀을 지어낼 리는 없겠지요. 혹 착각에서 태어난 구절이 아닐까요. 그렇다면 성경을 문자 그대로 받아들인 게 죄라고 볼 수 있을까요. 이를테면 자의적 해석 탓이지요. 때로 경전의 기록마다 다양한 해석을 요구하는 경우가 많지요. 그러나 저마다의 임의적 해석은 금물이지요. 자칫 심각한 결과를 낳는 미신의 진원지이니까요.

어느 종교 건 일차적으로 구원과 행복을 목표로 하지요. 생명에 대한 존중과 애정은 말할 나위도 없지요. 따라서 사람을 살리는 신앙, 이웃을 사랑하는 신앙은 너무도 당연한 종교의 진면목이지요. 그런데 아무려면 기독교의 경전이 자식을 때리고 굶겨 죽게 하겠어요? 문제는 일반적으로 충분히 검증된 과학과 상식조차도 외면하고 자신들만의 도그마에 갇히는 맹신에 있지요. 여느 이단보다도 더한 이단이며 끔찍한 미신이지요.

미신을 철저히 배제한다는 종교에도 상상 이상의 미신에 사로잡힌 경우가 많지요. 미신이 무엇입니까. 비과학적인 것만이 미신은 아니지요. 그렇다면 아직도 과학이 풀지 못한, 아니 검증 결과 과학과 배치된 것으로 드러난 오류조차도 여전히 불가침의 성역으로 고집하는 종교는 죄 미신이게요.

참으로 심각한 미신은 신앙의 존재가치를 왜곡하여 망령되게 허구를 탐하는 것이지요. 요샛말로 착한 신앙이 아니라 나쁜 신앙이지요. 종교의 본질을 훼손하고, 인류를 집단 타락의 수렁으로 내모는 신앙이야말로 바른 신앙에 반한 미신 중의 미신이지요. 다투어 외형의 확대만을 꾀하느라고 정작 필요한 내면의 궁핍을 외면하는 외화내빈의 신앙도 마찬가지고요. 굳이 이름 하자면 반종교적 미신이지요.

우리는 그동안 고등종교의 탈을 쓰고 그 신성불가침의 우산 아래 반인륜적 악행을 서슴지 않는 경우를 너무도 많이 보아왔습니다. 신앙을 빌미로 자행한 전쟁, 체벌, 타종교 배척도 미신의 고약한 유형이지요. 일반 대중의 핍박을 발판 삼은 기득권에 빌붙어 감언이설을 일삼는 종교인의 정치행위도 미신이지요. 기복이나 신유 따위도 참 신앙에 역행하는 미신입니다.

사람의 마음속엔 누구나 종교적인 성향이 내재돼 있지요. 그것이 미신에 빠지지 않게 마음의 단속을 잘해야 합니다. 종교를 떠나 일상의 삶속에서도 미신이 작용할 여지는 많지요. 미신은 자연의 순리나 진리에 대한 신뢰를 마음속에 제대로 뿌리박지 못했을 때 싹트지요. 자신의 내면이 약하면 아무래도 불안하여 검증되지 못한 외부의 삿된 헛말에 귀를 기울이게 되지요. 무엇보다도 타자나 초자연의 위력을 빌려 자신의 죄업이나 죄책감을 탕감 받으려는 어리석음이 미신의 온상임을 잊지 말아야합니다. 자신에게 주어진 운명은 결코 그 무엇도 대신해 줄 수 없는 것이니까요.

미신이라는 미혹의 늪으로 빠져들수록 정상으로부터 멀어지지요. 미신에 사로잡히면 한 걸음 한 걸음 뗄 때마다 미신에게 물어서 걸어야 합니다. 순간순간 타의에 의해 그 운명이 좌우되는 것이지요. 정작 긴박한 경각의 순간에는 신도 아닌 자신에게 물어보면서 차분히 생각할 여유가 있을 때는 굳이 미신에게 그 해답을 구하는 모순이 곧 미신의 실체인 것입니다. 자기 마음을 헛것에게 자진하여 예속시켜 그 시중을 들기 바쁜 것이지요.

쓰레기

한방에서는 한국 의술의 대가로 허준을 꼽습니다. 한편 독창적인 면에서는 이제마를 들지요. 그는 서얼로 태어나 무과에 급제, 정삼품에까지 오른 범상치 않는 인물이었지요. 사람의 체질에 각별한 관심을 보인 그는 사상의학이라는 특유의 학설을 내놓았지요. 그의 대표작으로 『동의수세보원』이 있습니다. 사람의 체질을 네 가지 형태로 분류한 후, 각자의 특성을 아는 것이 질병을 예방하고 치료하는 지름길이 될 수 있다고 썼지요. 그러나 천차만별인 체질을 주관적인 판단에 의해 획일적으로 분류한다는 게 무리인 면이 있지요. 너무 단순하고 서로 중복되는 측면이 있을 수밖에요. 그래선지 일각에서는 또 팔상으로 나누기도 하지요. 그렇기로 하면 사상, 팔상보다도 현재 세계 인구를 빗대어 육십팔억상으로 나누는 게 합당하겠네요.

어떻든 사상의학을 빌려 어렵게 짜 맞추자면 저는 소양인에 가까운 것 같네요. 이것저것 복잡한 주문은 접어두고, 소양인은 변만 잘 보면 큰 무리가 없다는 한 가지 주의사항만 기억하려고 벼르는 터입니다. 적게 먹고, 섬유질 좀 섭취하고, 일부러 하는 운동 대신 땀 흘려 일하면 큰 걱정 안 해도 뱃속은 평화로울 것 같습니다.

그러나 속을 깨끗이 비워낸다는 게 쉬운 것만은 아니지요. 누구든 한 사흘 정도만 속을 비우지 못해도 탈이 생기지요. 변비나 설사는 기본이고 심각한 속병으로 발전할 수도 있지요. 심한 체증이나 복부 팽만감을 경험한 분은 뱃속을 채우는 것도 중요하지만 비우는 것은 더 중요하다는 사실에 선뜻 공감할 것입니다. 어디 뱃속의 오물뿐이겠어요. 바깥의 쓰레기도 마찬가지지요.

음식물 쓰레기는 하루만 버리지 않아도 견디기 힘듭니다. 특히 도시에서는 쓰레기 버리는 것이 빠뜨릴 수 없는 일과 중의 하나지요. 그것도 돈 봉투에다 품목별로 가려서 버려야 합니다. 1인당 평생 (대략 70살 기준) 생활쓰레기 배출량은 55톤으로 5톤 트럭 11대분이나 된다고 하네요. 그러니까 혼자서 한 해에 버리는 쓰레기의 양이 800킬로그램이나 되는군요.

그런데 그보다 더 심각한 쓰레기가 있습니다. 잠시 바깥에 쏟았던 시선을 다시 안으로 돌이켜 보지요. 마음의 쓰레기입니다. 십 년, 아니 평생 분량이 쌓여 있을지도 모르니 말이지요. 그 속은 얼마나 악취가 진동할까요. 대체 겨우 백 근 이쪽 저쪽의 몸으로 그 엄청난 쓰레기를 어떻게 짊어지고 사는 것일까요. 그러니 마음이 제대로 작동될 리가 없지요. 과연 우리가 모르는 마음의 병은 얼마나 심할까요.

가장 화급한, 큰일 중의 큰일은 마음의 쓰레기를 비우는 작업이지요. 그렇지 않고서는 아마도 무수한 생을 마음의 쓰레기 적체장 속에서 헐떡거려 온 것처럼 다음 생도 별 수 없겠지요. 더욱이 현대의 지구촌처럼 마음의 쓰레기가 지독한 경우, 그 후유증을 안고는 죽기조차 끔찍한 노릇이네요.

불가에서 말하는 "윤회의 사슬"은 우리가 버리지 못하는 마음속 쓰레기의 상징적 토사물인가 싶네요. 하늘 높은 줄 모르고 다투어 치솟는 교회를 보실까요. 그 웅장한 높이만 보면 벌써 천국에 다 오른 것 같지요. 그런데 할렐루야 소리는 오늘도 여전히 지구촌을 진동시키네요. 그 마천루 속의 독실한 크리스천들이 하나같이 하나님의 은총을 입어 천국의 티켓을 땄다고 치지요. 설마 그토록 무거운 마음의 쓰레기를 지고서 그 아스라한 계단을 쉽사리 올라갈 수 있을까요.

그러고 보면 마음의 쓰레기가 현대인 모두의 십자가인가 싶네요. 그나저나 지금 내일 걱정할 계재가 아닙니다. 당장이 문제이지요. 저마다 과적의 스트레스로 몸둘 바를 모르지 않습니까. 스트레스는 곧 마음속의 쓰레기가 몸살을 앓는 것이지요. 그런데 어쩌지요. 그 농도가 인간에게 허용된 인내의 임계점을 벗어날 만큼 점점 심해지고 있으니 말입니다.

마지막 후회

만일 오늘이 삶의 마지막 날이라면 무엇을 후회하게 될까요? 영국 〈가디언〉은 최근 영어권에서 화제가 되고 있는 책 『죽을 때 가장 많이 후회하는 다섯 가지』를 소개했는데요. 집계한 순위 별로 '1. 내 뜻대로 살지 못한 것 2. 일 좀 덜하지 못한 것 3. 화 좀 더 내지 못한 것 4. 친구들 챙기지 못한 것 5. 도전하며 살지 못한 것' 등을 들고 있습니다. 한 간호사가 수년간 말기 암 환자 병동에서 일하며 환자들이 생의 마지막 순간에 보여준 통찰을 꼼꼼히 기록한 것인데요. 저마다 다른 삶을 살았던 사람들이지만 놀랍게도 후회하는 것은 거의 비슷했다고 합니다.

그런데요. 그중에서도 세 번째의 "화 좀 더 내지 못한 것"을 후회하는 대목이 좀 헷갈리네요. 우리는 한사코 화를 억누르기에만 급급해 왔고 또 그것을 당연하게 여겨왔으니까요. 따지고 보면 맹목적 인내만 강요해온 것이지요. 그러나 억압 받은 감정은 그냥 사라지지 않고 무의식 깊숙이 침잠하게 되지요. 그것은 쌓이고 쌓여서 급기야는 폭발하고 말 시한폭탄을 스스로 만드는 것이나 다름없습니다.

감정은 어느 정도 관리가 필요한데 최소한에 그쳐야 하고 가급적이면 자연스럽게 조절하는 게 현명하지요. 방목한 소와 사육한 소는 그 성정은 물론 육질도 현격한 차이가 있지요. 할 수만 있다면 감정의 방목은 최대화하고 사육은 최소화하는 게 최선일 텐데요. 위의 경우도 감정의 이성적 관리에만 의지하고 자연스런 조절에는 서툴었던 때늦은 회한이지요. 다시 말해 감정 표현을 자연스럽게 하지 못한 자책인데요. 분출하는 감정을 발산하지 않고 억누르는 것은 일시적 표정 관리 효과야 있겠지만 결과적으로는 자신을 기만한 자해이지요. 자칫 병이 될 수 있고 또 마음의 건강을 다스리는 데도 썩 이롭지 못한 것입니다.

저도 임종의 순간을 떠올리며 가만히 질문을 던져 봅니다. 맨 먼저 제 능력을 제대로 발휘하지 못한 후회가 번쩍 손을 드네요. 당연히 전적으로 제 책임이지요. 무엇보다도 부모님께 불효이지요. 남부럽잖게 건강한 심신을 물려 주셨는데도 그 반의반조차 채 꽃 피우지 못했으니까요. 세상에도 할 짓이 아니지요. 마땅히 사회의 일원에게 요구되는 개별적 가치창출의 의무를 다 하지 못했으니까요.

누구에게나 타고난 나름의 능력이 있기 마련입니다. 그리고 사람마다의 차이는 곧 그 숨은 능력을 얼마만큼 찾아내느냐에 따라 나타나는 것인데요. 문제는 제 것은 게으른 듯 묻어두고 남의 것 시늉만 죽자 사자 따라하다가 지치고 마는 것이지요. "듣기 좋은 노래도 석 자리 반"이라는 속담이 있지요? 그것을 열백 번 되풀이한다고 생각해 보십시다. 아무리 최신 유행이라 해도 잘 봐줘서 석 자리 반에 머물러야지요. 그 이상은 낭비이자 공해이지요. 비록 서툴고 미완성이더라도 제 노래를 제 음색으로 불러야지요. 그것이 곧 능력인 것입니다. 능력의 발휘는 다시 말하면 미지의 개척인 것이지요. 비로소 역사의 한 페이지에 새로운 구색을 심어 놓는 작업이지요.

사실 역사는 미완의 백화점이지요. 아무리 아름다운 꽃도 며칠 못 가서 시들고 맙니다. 그러니 그 아름다움은 불완전한 것이지요. 영구불변의 것만 완성이라고 한다면 세상에 완벽은 존재할 수 없지요. 그러니 시지포스가 올림포스 산정을 오르듯이 보다 나은 내일을 향해 힘껏 달릴 수밖에요.

최선을 다한다는 것은 곧 제 숨은 능력을 발굴하여 십분 발휘하는 것에 다름 아닙니다. 능력이란 남의 모방이 아니라 제 것의 실현을 이르지요. 남의 것을 염탐하여 제 것인 양 차용하는 것은 아무리 출중해도 능력이라고 할 수 없지요. 한낱 기계적 모사꾼의 장기자랑에 불과한 것이지요. 그럴수록 자신과 멀어질 수밖에요. 자신의 숨은 능력을 찾아내는 것이야말로 자신에 가장 가까이 다가가 자신과의 긴밀한 대화를 통해 자신을 실현하는 최선의 방법입니다. 자신의 깊숙한 내면에 귀를 기울여야만 하는 것이지요. 마음은 곧 숨은 능력의 보고이지요. 지상의 보물찾기는 제 마음 구석구석을 속속들이 들여다보는 것입니다.

자신의 마음은 어떤 탐험가의 설렘에도 비교할 수 없는 매혹의 처녀지이지요. 그 속에는 자신의 무수한 전생은 물론 인류사, 아니 우주사가 녹취되어 있지요. 적확하고 무수한 미래의 예언이 저장되어 있는 것입니다. 그런데 우리는 그것을 방치해 둔 채 바깥으로만 돌며 애먼 남의 것만 기웃거리는 슬픈 광대의 피상적 삶에 목을 매온 것이지요. 몸은 객관적이고 상대적이어서 미추가 따로 정해져 있지만 마음은 노력 여하에 따라서 얼마든지 지고지선한 미를 창조할 수 있는 것인데도 말입니다.

물과 불

바슐라르는 불은 본능과 정열을 상징하는데 물은 죽음과 상실을 상징한다고 했던가요. 시인 에이츠도 불은 별, 불꽃, 사랑, 남쪽 –해가 오래 머무는–을 의미하며 물은 이슬, 파도, 피, 눈물, 슬픔, 상실, 죽음, 서쪽 –해가 지는–을 의미한다고 했지요.

물은 이미 존재하는 것에 비해 불은 늘 만들어 지지요. 불에서 문명과 예술이 탄생했다면 물에서는 종교와 철학이 싹텄다고 볼 수도 있고요. 물론 물과 불은 둘 다 빼놓을 수 없는 절대적 존재이지요.

빤한 이야기지만 물과 불은 상대적입니다. 물론 공통점도 있지요. 불이 위를 향하는 반면 물은 아래를 향하지만 끊임없이 외부를 지향하는 점에서만큼은 다를 바 없지요. 그러나 그들의 외향적 원심력이 벽에 갇혔을 때 상황은 다릅니다. 불이 장벽을 태워 탈출하지 못하는 경우 단시간 내에 소멸하는 것과 달리 물은 장벽 안에서도 천수를 누리지요. 불길은 가만 두어도 불감이 재가 되고 나면 이내 잡히고 말지만 물길은 가만 두기만 하면 천년을 노래하며 흐르지요.

그렇다고 물의 생명력이 간단히 이루어지는 것은 아닙니다. 호수나 강을 보실까요. 바깥에서는 부단한 용수와 배수가 이루어지는 한편 안으로는 산소호흡과 물결 등 치열한 자정노력을 합니다. 안팎운동이 여의치 않은 겨울엔 자신을 꽁꽁 결박하여 외벽을 쌓고 생명을 연장하지요. 이를테면 파충류의 겨울잠인 셈이지요.

그런데 장벽 속의 물은 그 그릇이 문제입니다. 작은 그릇은 물의 감옥이지만 큰 그릇은 운동장이지요. 작은 그릇일수록 물이 쉽사리 썩지요. 그러기에 한사코 그릇이 커야 물은 유유자적할 수 있는 것입니다. 면면히 흐르고 물결치는 강과 바다는 결코 제 낯빛과 맛을 잃지 않지요.

불은 외부와의 접촉을 통해서만 길을 만듭니다. 태울만한 대상이 없이는 한 발짝도 나서지 못하지요. 다분히 의타적이지요. 보실까요. 불기운이 강한 사람은 늘 함께 타오를 상대를 갈구하지요. 불길은 한 번 타오르기 시작하면 걷잡을 수 없습니다. 그러나 물은 혼자서도 유유히 흐릅니다. 물 기운이 강한 사람은 묵묵히 제 길을 가면서도 유유자적하지요. 오히려 고독을 즐기기조차 하지요. 그렇다고 물이 배타적이지는 않지요. 샛강이 대하를 이루듯 더불어 노래하며 물길을 키우고 넓혀 갈 이웃을 즐겨 맞지요.

마음도 그래야 합니다. 마음을 다스리는 일에 있어서 '안(자신)' 의 안정과 '바깥(이웃)' 의 화합을 이루는 물의 자주와 공생적 지혜는 새삼 교과서적 덕목이지요. 다만 따뜻한 마음의 체온을 지니려면 수증기로 증발하지 않을 만큼의 적당한 불기운을 빌려야하겠지요.

청정

흔히 "저 사람 속에는 구렁이가 몇 마리 들어 있는지 모른다"고 들 합니다. 때로 구렁이가 여우로 바뀌기도 하지요. 그때 구렁이와 여우의 거처는 그 사람의 마음속이지요. 마음속이 쉬 드러나는 사람이 있는가 하면 좀처럼 그 속내를 파악할 수 없는 사람이 있지요. 그런 사람을 빗대어 크렘린이라고도 하지요. 크렘린은 중세 러시아 도심의 요새이던 것이 볼셰비키 혁명 이후 레닌의 소비에트 정부 본거지이자 공산주의 독재를 상징하는 건물로 바뀌었지요. 원래도 철통같은 요새이던 것이 비밀은 많고 보안은 철저한 공산주의 수뇌부들의 아지트로 바뀌었으니 그런 비유를 낳게 된 것이지요.

아무튼 마음의 빗장을 걸어 잠그고 열 줄을 모르는 사람들은 별로 선입관이 좋아 보이지 않지요. 괜히 비밀스럽고 음흉하게 보이지요. 그러나 마음은 창고가 아닙니다. 더욱이 비밀이나 흉계를 담아두는 아지트는 아니지요. 원래 아무것도 고여 있지 않은 청정지역이지요. 그런데 거기에 오만 것들을 감추느라고 정신이 없지요. 그러니 마음이 온전할 리 없지요.

아무것도 담겨 있지 않은 마음은 하등 들킬 것도 없지요. 그래서 명경지수(明鏡止水)라고도 하지요. 동자승의 미소를 볼까요. 비웃거나 실실 웃는 것에 비해 격이 다르지요. 트집 잡을 거리가 없지요. 원래의 마음도 그런 것입니다. 감출 것도 없고 보여줄 것도 없는 무형이 곧 그 형상이지요.

미인

“마음이 고와야 여자지, 얼굴만 예쁘다고 여자냐”라는 노랫말이 있지요. 당연한 말이지요. 그런데요. 마음이 고우면 얼굴도 예뻐집니다. 맑고 밝고 어여쁜 마음을 쓰면 저절로 건강이 좋아지기 때문이지요. 우선 눈에 띄게 마음의 거울이라는 눈이 맑아지고, 속이 편하니까 피부도 고와지지요. 하는 짓이 선량하고 예쁘니까 다른 사람들도 더 예쁘게 볼 수밖에요. 따뜻하고 착한 마음이 웃음꽃으로 피어오르는 얼굴은 저절로 사람들의 마음을 즐겁게 끌어당기지요. 반면 찌푸리거나 독기를 품은 얼굴은 아무리 미인이라도 소름이 돋고 흉측합니다. 남에게 면박을 주는 경우를 볼까요. 면박을 당한 얼굴은 일단 흉해지지요. 그 업보로 내생에는 얼굴에 흉한 점이나 얼룩이 진 얼굴로 태어나기 쉽다고 합니다. 오만하게 남을 깎아내리는 경우는 키가 작게 태어난다고 합니다.

마음먹기 따라서 그 몸이 이루어지는 것이지요. 남을 때리거나 괴롭히면 병고를 업보로 받는다고 하지요. 인과응보는 호리도 틀림없다고 하니까요. 몸은 마음을 떠나서 살 수 없고 마음 또한 몸을 떠나서는 존재할 수 없지요. 결국 몸과 마음은 하나이지요. 하나이면서도 둘이듯 둘이면서도 하나인 그 오묘한 속내를 어찌 말로 이를 수 있겠어요. 물질과 에너지는 하나라는 법칙에나 비할까요. 우리는 몸이라는 기계 속의 마음이라는 에너지를 사용하며 사는 것이지요. 에너지가 정품이어야 기계가 무리 없이 작동하겠지요. 그것이 곧 건강이고요. 마음을 잘 작동하면 마음이 그만큼 편해지지요. 몸도 따라서 편해지고요.

비교

“사촌이 논을 사도 배 아프다”는 속담이 있지요. 가까운 혈연이 형편이 풀리면 그만큼 부담이 덜어지니 좋을 것 아닙니까. 또 그가 부유해지면 그만큼 또 원군이 생겨서 좋고요. 그런데도 못 마땅한 것입니다. 겉으로는 좋은데 속에서는 그렇지 않은 것이죠.

질투심 때문입니다. 헌데 그놈의 투기라는 게 만만한 게 아니지요. 사촌 간에도 그럴 때 남과의 경우는 어떻겠습니까. 질투는 자기와 관계없는 대상에게는 이루어 지지 않지요. 문제는 관계없을 법한 대상까지 끌어들여서는 멀쩡한 사람을 형편없이 옹졸하고 추하게 만듭니다. 잔잔한 가슴을 괜히 지글지글 들끓게 닦달하지요. 여의치 못할 때는 상처가 생기거나 속으로 생병이 나지요. 자칫 맘에도 없던 악행을 저지르기도 하지요. 평소의 자신을 잃고 반 미치는 것입니다. 이때 평상심은 낯선 침입자에게 속수무책이기 쉽지요.

셰익스피어는 "질투는 없는 결점도 만들어 낸다."고 했지요. "사랑이 삶이라면 질투는 죽음"이라는 마크 트웨인의 말도 있습니다. 소크라테스도 "질투는 영혼의 종기"라고도 했고요. 흔히 "사랑이 망원경으로 보는 것이라면 질투는 현미경으로 보는 것"이라고 회자되기도 하지요.

아무튼 질투는 상대방에 대한 필요 이상의 왜곡된 집착으로 제 눈을 멀게 하는 마음의 심각한 급성질환입니다. 객관적 정의를 주관적 편집으로 도륙하려 드는 억지지요. 남보다 우월하고 싶은 명예욕, 자기만 갖고 싶은 소유욕에 이성을 잃은 망령이 씌운 것이죠.

질투는 비교하는 데서 생깁니다. 비교만 하지 않는다면 괜히 쪽팔리는 질투 따위로 속 끓이지 않아도 될 텐데요. 안 해도 될 괜한 저울질을 하다 보니 비교우위를 점하지 못한 듯한, 그래서 마치 자기 입지가 흔들리는 것만 같은 두려움으로 일종의 망상편집에 사로잡히게 되는 것이지요. 대부분 혼자 하기 쉬운 비교는 자기 잣대만 가지고 제멋대로 재기 때문에 공정성은 사라지고 상대에 대한 괜한 견제와 미움만 부풀어 오르게 되지요. 심판이 없는, 그래서 자기조차도 눈멀게 하는 '아닌 마음'이 심판의 옷을 걸치고 온갖 아첨을 하며 오심을 일삼게 되지요.

진정한 비교는 객관적 가치를 도출하려는 과학적 자료로서만 필요합니다. 사적이고 일방적인 비교는 성립될 수 없는 것이지요. 시키지도 않은 혼자만의 비교는 공존의 법칙에 둔감한 경우, 이기적인 경우, 자아도취에 빠진 경우, 이성보다 감정이 기승을 부리는 경우에 나타나는 특정의 가상 상대에 대한 히스테리적방어기재이지요. 허락도 없이 괜한 상대를 맘속에 가둬놓고 들고치며 결국은 자신이 자신을 들었다 놓았다하는 원맨쇼인 것이지요.

거울을 불러놓고 백설공주와의 미모를 따지는 왕비의 광기가 생각납니다. 얼마나 우스운 망발입니까. 허락도 없이 누군가와 자신을 비교하다 결국 자신이 희화적 비교대상으로 전락하게 되는 것이지요. 지나고 보면 부질없고 부끄럽기 짝이 없는 졸렬한 소심증의 자기 파괴적 난동에 불과한 것인데요. 그런데도 우리는 대부분 습관적으로 나도 모르게 날마다 비교하며, 비교의 늪 속에서 살고 있지요. 직접 비교하지 않고 대신 아바타를 내세워 대리전쟁을 치르고 대리만족을 즐기기도 하고요.

그러나 바람직한 것은 행여 비교하지도 말고, 비교되지도 않는 것입니다. 남과 비교하지만 않아도 마음 건강의 칠 할은 예약해 놓은 것인데요. 그렇다고 아무런 기준도 없이 이웃이나 세상 물정과 동떨어져 살라는 이야기는 아닙니다. 비교하지 않으려면 삿된 욕망에 연연하지 않고 항상 떳떳해야 하겠지요. 또한 흔하면서도 결코 쉬운 말이 아니지만, 나와 남이 둘이 아니라는 공동운명체로서의 동질감을 뼛속깊이 깨우치는 것이야말로 중요하지요.

겸손과 비굴

강이 꽁꽁 얼어붙었네요. 마치 모진 고문에도 이를 악물고 함구하는 우국열사 같네요. 강은 바위의 새똥을 닦아주고 산길과 초목의 먼지를 한참 씻어주고 난 허드렛물을 고이고이 모아서 지상의 밑바닥 가장 낮은 곳에 비로소 제 주소를 갖게 되지요. 그래도 잠시도 쉬지 않고 새 길을 닦으며 유유히 천년을 흐르는 웅숭깊은 속은 막 핀 들꽃이나 어린 산새 울음소리처럼이나 해맑고 고와서 해와 달이 하루도 거르지 않고 교대로 얼굴을 씻지요. 강은 살피살피 이름도 다 모를 수초와 치어들을 소리 없이 품고 젖을 물리며 산드러진 갈대숲 그림자에 숨은 바람이 못 이긴 척 기척만 해도 온몸이 귀와 입이 되어 바르르 떨곤 하지요. 그 가려운 귀엣말이 시방 입 꽁꽁 닫고 고딕체로 누워 있네요. 그런데 감히 누가 저 말속 사리문 살얼음판을 제 길인 것처럼 함부로 가로지르려 듭니까.

강은 일부러 낮은 곳에 임하기에 그만큼 넓이와 깊이를 간직할 수 있지요. 잠시도 쉬지 않고 밤낮없이 흐르기에 맑고 시원한 물을 간직할 수 있지요. 그러니 그 한물에 든 물고기, 다슬기, 백로, 청둥오리, 갈대숲 등 이루 다 헤아릴 수 없는 생명들이 평화롭게 살 수 있는 것이지요. 사람들 역시 그 물을 마시며 살아가지요. 어미의 자궁은 몸의 아랫부분 깊숙이 있습니다. 강도 지상의 자궁에 위치하고 있지요. 그리하여 그 무수한 생명들을 품지요.

겸손은 강처럼 자신을 낮추고 끊임없이 자신을 정화하는 것입니다. 겸손은 아래서 위를 우러러보니까 자신은 물론 사방이 두루 잘 보입니다. 겸손은 자신의 실상을 되살펴보고 갈고 닦는 지혜로운 자기관리지요. 그러나 오만은 위에서 아래만, 그것도 눈 내리깔고 보다 보니 제 발밑조차 제대로 볼 수 없지요. 흔히 자신감 넘치는 것이 오만이라고 오해하지만 실은 본래의 자신이 아닌 객이 들어와 주제 모르고 설치는 것이 실상이지요.

그런데 오만보다도 더 나쁜 것이 비굴입니다. 오만은 쉽게 드러나 반대편의 확연한 표적이 되지만, 비굴은 쉽게 드러나지 않고 음성적으로 오만의 몸집을 키우려드니까요. 오만은 단순하지만 비굴은 교활하여 피아의 구분도 쉽지 않은데다 악마와 밀거래를 하는 통에 겸손이 애를 먹곤 하지요. 겸손 속에는 범치 못할 진실과 정의에의 기개가 서려 있지요. 그러나 반사회적 오만의 하수인이 되어 떳떳하지 못한 배후의 일원으로 암약하는 비굴은 걸핏하면 성실한 겸손의 뒤통수를 치는 등 바람직한 사회에 위해를 가하곤 하지요.

겸손과 비굴의 차이는 바로 주체적이냐 그렇지 못하느냐에 달려 있습니다. 비굴이 타성적이라면 겸손은 한사코 주체적이지요. 겸손에서 '숨은 자존'이 빠지면 그것은 자칫 비굴이나 다를 바 없지요. 겸손은 오만이나 비굴보다도 더 충만한 자존을 추구하는 것이니까요. 다만 이웃과 더불어 공통의 자존을 추구한다는 게 오만이나 비굴과 다를 뿐이지요.

버리고 챙기기

흔히 "속이 텅 비었다"거나 "속이 꽉 찼다"는 말을 많이 하지요. 이때의 '속'은 마음을 이르지요. 그리고 "비었"느니 "찼"느니 하는 표현은 마음의 됨됨이와 씀씀이를 가릴 때 쓰는 비유입니다. 전자의 경우, "골이 비었다", "머릿속에 든 것이 없다"는 말과 같은 뜻으로 쓰이지요. 언행이 가볍고 물정과 판단이 어른스럽지 못한 사람의 행태를 폄하하는 부정적 표현이지요. 반면 후자는 마음 씀씀이가 넉넉하고, 이웃에 대해 배려할 줄 알고, 사물에 대한 이해가 깊은 사람을 칭찬하는 것이지요.

그런데요. 한사코 선현들은 속(마음)을 비우기를 채근합니다. 왜 채우라고 하지 않을까요. 그것은 곧 마음의 안방을 차지하고 있는 잡념과 탐욕, 어리석음과 집착에 대한 경계이지요. 눈에 보이는 일시적 필요에만 손 벌릴 게 아니라 눈에 보이지 않는 영구적 필요에도 귀를 기울여야지요. 그럼으로써 영원의 거처인 본질과 궁극에 성큼 다가서는 것이지요. 마음속 불량 쭉정이를 비워내야만 튼실한 알곡을 채울 공간이 생깁니다.

그런데 마음속은 굳이 채우려 들 필요가 없습니다. 비울수록 저절로 차기 때문이지요. 나쁜 것들만 비우면 좋은 것들은 저절로 그 안에서 생기는 것이지요. 원래의 것들이 저절로 나타나는 것입니다. 겹겹이 쌓인 먼지를 열심히 지우다 보면 속에 숨어 있던 맑고 환한 거울이 나타나는 거나 다름없지요.

마음속의 비울수록 좋은 쓰레기들은 먼지처럼 외부에서 날아드는 불청객들이지요. 그러나 꽉 찰수록 좋은 것들은 본래부터 마음속에 주인으로 자리하고 있는 것이지요. 다만 먼지에 가려 보이지 않을 따름이지요. 비우는 것은 객을 내몰고 주인을 찾는 것, 다시 말해 거울의 먼지를 지우고 닦아내는 것이지요. 그렇게 다 비우고 나면 드디어 꽉 차서 다른 잡것들이 감히 넘볼 여지가 없는 경지에 이르게 되지요.

그런데 이상한 것은 그렇게 꽉 찰수록 속이 자유롭고 편한 것입니다. 차면 이내 기우는 달과 술잔, 배부르면 숨차고 거북하기만 한 뱃속과는 차원이 다르지요. 고요가 충만할수록 평화롭고 그윽한 호수에나 비할까요. 사실 마음속은 무한공간이라 우리가 상상하는 사물이나 상념으로는 도무지 채울 수가 없지요. 그리고 티 없이 맑고 환한 거울처럼 투명하고 충만한 세계는 쉽지 않지요. 다만 먼지를 먹지 않을수록 거울은 탈이 없다는 사실을 마냥 좇을 따름이지요. 그러다 보면 못내 그리던 지고지순한 이상향이 저절로 자리하게 되는 것이지요.

사랑

사람은 원래 따뜻한 생명체입니다. 찬 공기를 들이마셔서 따뜻한 숨을 내쉬지요. 찬물을 마시고도 따뜻한 오줌을 내뿜지요. 피는 끈끈하면서도 뜨겁게 몸속을 돌고 돕니다. 몸보다도 마음은 더 따뜻합니다. 이웃을 향한 사랑과 열정으로 마음이 펄펄 끓는 사람들도 많지요. 그 36.5℃의 자가발전온도를 세상이 자꾸만 냉혈동물로 닦달하는 것이지요.

세계에서 손꼽는 성인의 면목을 들여다볼까요. 모두가 마음을 추슬러 본연의 제자리를 돌이키라는 주문 일색입니다. 하나같이 인간의 따뜻한 마음을 일깨우고 있는 것이지요. 그분들의 말씀을 한마디로 정리한다면 "사랑"입니다. 석가의 자비는 사랑 중에서도 어미가 자식을 품듯 고해를 벗어나지 못하는 중생의 아픔에 함께 참여하는 지고지순한 이타적(利他的) 경지를 이릅니다. 공자의 인(仁)은 인간이 주체적으로 인간을 사랑하는 긍휼과 측은지심을 이릅니다. 예수의 아가페는 “오른뺨을 치거든 왼뺨도 내놓”는 무한 사랑을 “오른손이 한 것을 왼 손이 모르게 하듯 하라”는 지극히 순결한 사랑입니다. 소크라테스의 사랑은 자신 즉 제 마음을 제대로 알아 그 본연을 실행하여 도덕, 철학, 윤리, 정의의 참모습을 이루는 것이 궁극의 인류애라는 강조이지요. 오랫동안 서방 중심의 시야에서 이방의 취급을 받다가 어렵사리 해금된 마호메트도 서운하다고 하겠지요. 그 역시 인류의 평등한 형제애에 입각한 보편적 사랑을 강조했지요.

인간의 마음은 그 따뜻한 체온 속에 사랑이라는 무궁무진한 에너지를 품고 있는 것입니다. 그것을 너나없이 발휘하여 나누어야 합니다. 그것은 도저히 혼자서는 살 수 없는 인생에 있어서 최선의 비책이며 지혜이며 도리입니다.

상상력

일찍이 아인슈타인은 "상상력은 지식보다도 더 중요하다."고 했지요. 전구는 어미닭을 흉내 내던 에디슨의 어이없는 상상력의 결실입니다. 목숨을 건 탐험 역시 지식보다는 상상력의 산물이지요. 인간의 발길이 미치지 못한 미지의 험준한 산일수록 더욱 강렬하게 상상의 날개를 펴 산악인들을 유혹합니다. 영구미제로 뜨거운 상상력의 보고인 유토피아는 차가운 이성에 기초한 지식의 훼방에도 불구하고 끊임없이 숱한 유혹을 낳아 왔지요.

『버드제독의 잃어버린 비밀일기』의 저자로 알려진 리처드 버드제독이 탐험대와 함께 남극에 도착했습니다. 사방이 얼음뿐인 고독한 나날이었지요. 6개월이 지날 무렵, 한 대원에게 묻습니다. "지금 우리는 세상과 동떨어져 있는데 자네는 문명사회의 무엇이 가장 그리운가?" 대원은 "유혹입니다."라고 선뜻 대답하지요. 그 말에 자극받아

'지저세계(地底世界)' 까지 탐험하게 되었는지 모르지만 하여튼 그가 남겼다는 책에는 고도로 문명화된 외계인과의 조우장면이 나옵니다.

불교에서 아갈타(혹은 아가타)로 불리는 지저세계는 지하의 공간에 존재한다고 하는 일종의 유토피아지요. 그런데 지구 속이 비어 있다는 '지구 공동설' 은 르네상스기 바티칸 교황청에 의해 처형된 이탈리아 중세 철학자 브루노가 주장했지요. 핼리혜성을 발견한 핼리는 런던의 영국학사원에서 "약 800㎞의 두께를 가진 지구의 지각 밑에는 공간이 있으며 그 내부에는 세 개의 천체가 존재하는데 그 천체의 크기는 화성, 금성 아니면 수성과 맞먹는다."고 밝힌 바 있고요. 시인이자 소설가인 애드가 알렌 포도 지구 속 문명의 실체에 관한 팸플릿을 거리에서 나누어 주었다고 하지요.

한편 그곳에서 사는 사람들은 활력 넘치는 금욕 생활을 즐기며 영혼을 맑히고 두뇌활동을 활발하게 하는 쪽으로 쏟는다고 합니다. 육류, 조류, 생선 등이나 소금, 후추, 커피, 담배, 알코올 등 최음성을 띤 기호물들을 삼가기 때문에 몸속의 피가 맑고, 독소에 의해 활동력을 약화시키는 일은 없다고 합니다. 늙지도 않고, 모두가 온유하고 평화로우며 지혜롭고 건강하다고 하지요.

고도의 영혼을 지녔으면서도 고도의 문명까지 누리는 곳이라니 그 놀라운 상상의 공간 여행을 한번쯤 꿈꾸어볼 만한 유혹이 아닙니까. 실재 여부는 접어두고 일단 그들이 누린다는 몸과 마음의 건강에 대해서는 곰곰이 되씹어볼 가치가 있을 것 같습니다.

상처

우리에게는 누구나 크고 작은 상처가 있지요. 몸에는 흉터가 없을지라도 마음에는 상처가 있기 마련이지요. 마음에 상처가 없다고 우기는 이들이 있다고 칩시다. 그런 분들은 살다보면 부딪치기 마련인 일련의 사건들은 일단 접어 두고라도 우선 첫사랑 한번 제대로 해보지 못한 경우이겠네요. 아니면 첫사랑과 결혼하여 부부 싸움 한 번 하지 않고 평생을 지낸 경우이든지요.

대개 첫사랑을 통과의례적 성장통으로 겪지요. 어린 마음에 철석같이 새끼손가락을 걸었다가 막상 헤어지고 나면 잘했든 못했든 후회나 원망의 지문이 오랜 상처로 남게 되지요. 칼로 물 베기라지만 부부싸움 역시 작으나마 상처로 쌓이게 되지요. 마음 밭이란 게 여간 기름지지 않아서 한번 씨가 뿌려지면 뿌리를 뽑기 어렵기 때문입니다. 그 무성한 뿌리야말로 난치성 음성상처이기 쉽지요.

기억의 수레바퀴를 맴도는 상처는 그래도 낫습니다. 기억나지도, 기억할 수도 없는 상처들이 무의식의 심연에 가라앉아서는 별별 해괴한 모양새를 하고 수면 위로 떠오르곤 하지요. 도대체 시키지도 않은 잡념이나, 망념들이 불쑥불쑥 치솟아 마치 주인처럼 마음을 휘젓고 있으니 황당할 수밖에요. 아무리 머릿속과 가슴속에서 지우고 도려내려고 해도 도무지 말을 듣지 않지요. 겨우 쫓아냈다 싶으면 어느새 더 고약하게 안방을 차고 앉아 독사처럼 똬리를 틀고 있으니 기막힐 노릇이지요.

그런데 그것 가지고 먹고 사는 정신분석학자들도 난감하여 횡설수설하는 경우가 태반이지요. 어쩝니까. 누구도 들여다볼 수 없는 자기 마음속의 문제이니 좋든 싫든 손수 해결해야지요. 이렇게 한 번 해 보세요. 아닌 것들이 설칠 때는 이것은 분명 아니다! 라고 자신에게 큰 소리로 외치는 것입니다. 두 번 세 번 아니 열 번이라도 말예요. 그리고 그 아니다! 라는 명징한 각인을 마음 밭에 새 뿌리로 심어야 합니다. 또한 그것에 끌려다니지 말고 단호히 외면해버리는 것이 필요합니다.

그러나 그보다 더 중요한 것은 마음을 한사코 맑고 밝고 따뜻하게 하는 것임을 잊지 말아야 합니다. 그것이야말로 돌연변이 악성 뿌리가 함부로 기생할 수 없도록 고사시키는 첩경이지요.

엄마의 옷 물

볼리비아 소금사막 부근 척박한 고산지대에는 아직도 토착인 몇 가구가 살고 있습니다. 아득한 옛날 베링해협을 건너간 아시아인의 후예인가 싶은데요. 볼수록 서부영화 속 인디언을 많이 닮았네요. 오지의 고단한 삶이지만 광활한 대자연과 청명한 하늘처럼 행복지수는 내로라하는 선진국보다도 한결 높다고 합니다. 그리고 좋은 집과 갖은 문명의 혜택을 거저 준다고 유혹해도 조상대대로의 터전을 떠나지 않겠다는 한 원주민의 다짐이 무척 인상적이네요.

그러나 거기에도 서서히 개방의 바람이 일고 있는 것 같습니다. 돈맛을 알게 되고, 그 아이들이 차츰 학교에 가기 시작하면 아무래도 토착적 원시성을 고집하기 어렵거든요. 이를테면 원주민의 일원인 다섯 아이의 젊은 엄마가 이웃나라 칠레로 돈 벌러 간 것도 일종의 탈일상적 변화인 셈이지요. 엄마 품이 한참 목마를 때인 품안의 자식들을 품

밖으로 떼어놓고 엄마가 돈을 좇아 멀리 떠난 것이니까요. 어쩌면 자급자족의 세습적 숙명론에서 벗어나 보다 나은 경제력을 추구하려는 욕구의 일단을 보는 것만 같지요. 그렇다고 누가 그것을 탓하겠습니까. '가난한 자족'을 빌미 삼아 '풍요한 결핍'을 말릴 수는 없지요.

그런데요. 아이들은 엄마 옷을 빨아 헹군 물을 마시며 그리움을 달랜다고 합니다. 아빠의 발상인지 오랜 전통인지는 밝히지 않았지만 미신스럽고 비위생적이라고 웃어넘기기엔 뭔가 가슴 저미는 안타까움이 자꾸만 숙연케 합니다.

그곳 원주민들은 조상 대대로의 유해와 더불어 삽니다. 단순한 무덤이 아니라 영하 20도의 동굴에 안치된 천연 미라를 모시는 것이지요. 그들은 어느 문명국보다도 잘 보존된 조상의 채취와 대화를 나누듯 공존하고 있지요. '엄마의 옷 물' 역시 같은 맥락이지요. 배달부나 전화기를 매개로 한 편지와 전화 등의 간접성에 비해 직접적이며 즉물적이지요. 무지하다고 보기엔 아무래도 '옷 물 세례식' 속에 그들만의 놀라운 원초적 소통법이 담겨 있는 것 같습니다.

문명은 늘 간접적입니다. 꼭 중간 매개물을 필요로 하지요. 그러기에 때로 심각한 사고가 빚어지곤 하지요. 전등이나 전기보일러를 보실까요. 전기가 끊기면 불과 열을 얻을 수가 없지요. 그러나 손수 불을 만들어 쓰는 촛불이나 온돌방은 하등 정전사고 따위 염려할 필요가 없지요.

그처럼 엄마의 옷에는 끊을 수 없는 엄마의 채취가 살아 있는 것이지요. 엄마는 자식들의 몸이지요. 그 몸의 외피인 옷 냄새를 통하여 새삼 엄마를 음미하는 것이지요. 아이들은 엄마가 입고 지낸, 다시 말해 엄마의 체취를 재생해주는 '엄마의 옷 물' 을 통하여 엄마의 사랑을 맛보는 것입니다. 엄마의 젖을, 엄마의 체온을, 엄마의 살 냄새를, 엄마의 품을 음미하게 되는 것이지요.

그러기에 엄마 말고는 그 무엇도 엄마의 분신이자 상징인 '엄마의 옷 물' 을 대신해 줄 수는 없지요. 편지나 전화, 화상전화 등 어떤 문명적 접촉보다도 더 효과적일 수밖에요. 우리 마음과의 만남도 그래야 합니다. 지식, 신, 상징, 부적, 주술 따위의 간접적 매개물 말고 자신이 직접 오직 자신만의 것인 마음과 통해야 하는 것이지요. 이른바 직관인 것이지요.

호흡

우리는 우주의 일원입니다. 대자연의 일부지요. 문제는 그 사실을 늘 잊고 사는 것입니다. 그리고 걸핏하면 자연을 마구잡이로 부리려 들지요. 지극히 하찮은 일부가 그 엄청난 전부를 정복하려는 무모한 욕심 탓에 인류 역사는 잠시도 편할 날이 없습니다. 그동안 인류가 해온 것이 무엇입니까. 한사코 흙을 아스팔트로 덮고, 한사코 지구의 온도를 달구고, 한사코 빨리빨리 달려 왔지요. 마치 프라이팬 속의 콩알처럼 더 높이 더 빨리 튀어 올라야만 견딜 수 있는 불안과 스트레스와 조급증이 그 결과물입니다.

그러니 이쯤에서 되돌아 보아야합니다. 우리의 몸은 예나 이제나 크게 달라진 게 없습니다. 있다면 멀쩡한 허우대에 듣도 보도 못한 병을 알게 모르게 달고 산다는 점이지요. 현대문명이 광속(光速)에 도전하려 드는 오늘에도 자연은 내내 그 속도입니다. 우리의 평상시 걸음도 내내 그 속도이고요. 수만 년 걸려 우사인 볼트가 영점 몇 초를 단축했다지만 기껏 토끼새끼의 걸음에도 어림없습니다. 오히려 운동선수 빼고는 대부분 퇴화되었지요.

아무리 바쁘게 몰아붙여도 평상의 호흡은 그대로이지요. 아직도 부처님 손바닥 같은 자연의 범주를 벗어나지 못했다는 상징적 증명이지요. 호흡은 굉장히 중요합니다. 숨 하나에 목숨의 경각이 달려 있으니까요. 무엇보다도 자연과의 호흡을 잘 맞추어야 합니다. 우주와 호흡이 맞으면 안정과 평화는 저절로 주어집니다. 그러니까 호흡만 잘해도 건강의 태반은 지키는 셈이지요.

몸의 호흡 못지않게 마음의 호흡이 긴요한 것은 자고이래로 숙제입니다. 도가나 불가에서 호흡을 중시하는 이유가 바로 거기에 있지요. 몸의 호흡을 잘 구슬려 마음의 호흡과 일치시키려는 심신합일의 건강법이지요. 그러기 위해서는 어서 자연과의 일체감을 되찾아야만 합니다. 자연과 더불어 사는 지혜는 곧 건강의 척도이지요.

가난

불경도 그렇지만 성경에도 새겨볼 만한 구절이 참 많습니다. 그러나 철학이 해석학의 신세를 못 면하듯 경전도 한 구절 한 구절 무수한 해석을 낳습니다. 저는 종교와는 거리가 먼 터이지만 존경하는 목사 한 분이 간곡한 초발심을 빛과 소금 삼아 목회를 하는 팔복교회가 있습니다. 예수가 갈릴리 호숫가의 산 위에서 설한 산상수훈 중 앞 대목인 "여덟 가지 복"에서 빌려와 붙인 이름이지요. 예수는 가난한 자, 애통하는 자, 온유한 자, 의에 주리고 목마른 자, 긍휼히 여기는 자, 마음이 청결한 자, 화평케 하는 자, 의를 위하여 핍박을 받은 자에게는 복이 있다고 하였지요.

그런데 그 첫 복의 대상이 성경의 어느 페이지엔 "가난한 자"로 씌어 있고 또 다른 페이지엔 "마음이 가난한 자"로 돼 있어서 헷갈리게 하지요. 애초 "가난한 자"에게 허락될듯싶은 복이 어느새 "마음이 가난한 자의 복"으로 둔갑하여 혼란스럽게 하는 것입니다. 괜히 이제 와서 마태와 누가를 불러내 싸움 붙이고 싶지 않지만 "부자가 천국에 가기는 낙타가 바늘구멍 뚫기보다도 더 어렵다"는 성경의 구절은 "가난한 자에게 복이 있다"는 구절에 대한 신뢰를 더하게 합니다. 애통해하는 자, 핍박받는 자에게도 복이 있다고 했으니 그 역시 "가난한 자"와 같은 처지의 춥고 두려운 하늘의 종을 위로하고 격려하기 위함이 아닐까요.

생각해 보십시다. 물질의 가난에 찌든 자들이 마음까지 가난해서야 어디 견딜 수 있겠습니까. 가뜩이나 물질의 모진 가난 탓에 외면받고 멸시당하는 자들이 마음까지 주눅이 들어서야 어디 살맛나겠습니까. 가난할수록 마음이라도 부자여야지요. 비록 가난해도 밝고 따뜻한 마음으로 아픈 삶을 추스르는 비법이야말로 그들이 천국을 수용할 수 있는 유일한 활로인데요. 비록 물질적으로는 가난해도 -오히려 그 가난으로 인해서- 마음만은 부자일 수 있는 것이지요.

부자는 대개 욕망에 그 뿌리를 두고 있습니다. 그러니 자유로울 수도 평화롭기도 힘들지요. 욕망처럼 인간을 추하고 어리석게 타락시키고 구속하는 요물단지는 드물지요. 악은 대개 욕망에서 싹틉니다. 선(善)은 욕심을 내다버려서 욕심이 깃들 곳이 없는 마음자리입니다. 거기에서는 무한한 이웃에의 베풂과 나눔이 저절로 이루어지지요. 비로소 마음이 자유롭고 풍요로워 지는 것이지요. 그것을 마음의 가난이라고 이른다면 굳이 가난 앞에 마음이라는 사족을 붙인 고육지책이 이해가 될 법도 하네요. 그러나 아무래도 부자라야 베풀만한 꺼리와 여유가 있겠기에 마음 역시 가난하기보다 부자여야겠지요. 그러기에 성령으로 충만한 마음을 가난한 마음이라고 한다면, 그 성령이 잘 못되었거나 충만하지 못하거나 둘 중 하나이겠지요. 또 마음을 심령으로 바꿔 부른다고 해서 성령의 충만이 심령의 가난과 어떻게 나란히 놓일 수 있을까요.

갈수록 가난은 견디기 힘든 악조건입니다. 그렇다고 부자도 전보다 행복하지는 않은 것 같습니다. 이래저래 천국은 인간의 것이기 힘든, 갈수록 아득한 그림의 떡인가 봅니다. 이런 때일수록 마음먹기가 중요하지요. 몸이 수고로우면 그 마음을 편하게 하는 역설 같은 지혜가 어느 때보다 절실한 사막의 겨울입니다. 백번 접어 마음의 가난을 비울 것 죄 비워서 마음이 가벼운 탈속의 경지에 깃드는, 욕망의 다이어트라고 이른다면 분명 건강의 지름길입니다. 그래도 아무튼 가난이라는 어감은 마땅치 않습니다. 그것은 분명 '가난'이 아니라 '충만'이라고 표현해야 맞지요.

호수

제 고향은 영광입니다. 일몰이 눈부신 해안도로가 관광객들의 마음을 사로잡지요. 장난감 같은 섬들을 어루만지며 내뻗치는 아득한 수평선이 저녁놀과 뜨거운 입술을 포개는 서해는 겨울이면 또 나름대로의 장관을 이룹니다. 서북풍을 타고 출렁이는 파도의 위용이 대단하지요. 사람들은 소름이 돋는 오금을 사리며 성난 파도에 탄성을 지르지요.

부근에는 또 불갑저수지가 있습니다. 거의 댐 수준의 호수이지요. 거기에도 관광객들의 발길은 끊이지 않습니다. 그러나 방금 전에 돌아보고 온 바다와는 영 딴 세계이지요. 서해를 태풍에 비하면 저수지는 그 눈이라고나 할까요. 고요의 극치이지요. 겨울에 영광을 찾은 분들은 격동과 적정의 동정양면(動靜兩面)을 만끽하게 됩니다.

우리의 마음도 그렇지요. 거친 바다와 잔잔한 호수의 양면성을 지니고 있는 것이지요. 그런데 잠잠한 경우는 잠깐이거나 드물지요. 대부분의 시간을 쉴 새 없이 파도치고 있는 것이지요. 호수에는 스쳐가는 둥 마는 둥 눈 깜짝할 새에 바다로 달아나버리곤 하지요. 문제는 혼탁한 바다의 요동치는 물결 속에서는 도무지 얼굴을 비춰볼 수 없다는 점입니다. 반면에 잔잔하고 해맑은 강이나 호수는 훌륭한 거울이 됩니다. 자신의 실체를 훤히 비춰주는 거울! 그것을 찾는 것 이상의 크고 시급한 일이 어디 있겠습니까.

자기를 찾는 것은 곧 궁극의 과제인 자기완성이지요. 여의보주를 지닌 우주의 참 주인이 되는 것 말이지요. 맑고 고요한 마음이 곧 자신의 진짜 거울입니다. 따라서 마음을 맑고 고요히 하는 것이 최선의 경지에 이르는 지름길임은 두말할 필요도 없겠지요.

그러기 위해서는 번거로운 일을 가급적 벌이지 말아야겠지만, 이왕 당한 일들을 치를 바에는 마음을 다스리는 좋은 기회로 여기고 차분하고 담담하게 처리하는 습관을 길러야지요. 아무리 변화무쌍한 마음이라지만 한번 제대로 맑고 고요하면 함부로 변덕을 부리지 못하게 됩니다. 흔히 해인삼매의 경지인 돈오(頓悟)라고 하지요. 물론 부단하고 치열한 점수(漸修)의 결실이지요. 마음은 원래 맑고 고요했다는 사실을 또렷이 기억하면 그 경지에 이르기가 한결 수월하지요.

조화

딸아이가 엊그제 영세를 받았습니다. 세례명이 이사벨라입니다. 성 루이 왕의 동생이자 루이 8세의 딸인 이사벨은 병자와 가난한 사람들을 돌보았습니다. 또한 파리의 롱샹프에 프란치스칸 수도원을 세우고, 엄격한 수도생활에 전념하였으나 수녀가 되지는 않았고, 더욱이 원장 직책은 한사코 거절하였다고 합니다. 동명이인으로 스페인의 페리패 왕비가 있지요. 스페인의 여왕 이사벨라 2세도 있고요. 참, 아르헨티나의 첫 여성 대통령 이사벨 페론도 있네요.

딸아이가 오빠 못지않게 친자매처럼 지내는 아가씨로 곧 며느리가 될 아이는 세례명이 엘리사벳입니다. 엘리사벳 하니 문득 엘리자베스 여왕이 떠오르네요. 세기의 미녀 배우 엘리자베스 테일러도 있네요.

엘리사벳 성녀는 미국에서 태어났지요. 원래는 엘리자베스인데 바티칸에서 사용하는 이탈리아어로 엘리사벳이 된 것이지요. 그녀는 미국에 최초로 카톨릭 학교를 창건하고, 수도회를 세운 성녀로 추앙 받지요. 그녀는 시튼 수도회 수녀들에게 공동생활을 위한 특별한 메시지를 다음과 같이 전하지요. "수도 생활 속에 우선적으로 필요한 것은 기쁨과 조화입니다. 이 두 가지를 가지고 있으면 모든 것이 잘 될 것입니다."라고요. 너그럽고 적극적인 성격이면서도 영성에 기초를 둔 이상을 보여줌으로써 수도생활의 모범이 된 그녀는 "내 일상생활의 목표는 모든 사건을 온유하고 조용히 받아들이는 것이며 모든 알력을 부드러움과 쾌활로 대적하는 것입니다."라고도 했지요.

마치 주술과도 같은 "기쁨과 조화"를 하느님의 계시 삼아 엘리사벳은 초창기의 여러 가지 어려움에도 불구하고 영속적인 공동체를 형성할 수 있었지요. 조화는 안과 밖, 너와 나, 몸과 마음, 그리고 인간과 자연과의 온전한 소통을 이르지요. 따로 구분할 필요가 없는 완연한 혼연일체야말로 지극한 소통의 풍경이지요.

'아가페', '중용', '중도', '도덕' 역시 모두가 조화의 묘미를 추구하는 고차원의 슬로건이지요. 진정한 하나가 된 자타공유의 조화 속에서 맛보는 기쁨이야말로 극락이나 천국의 실상인 것입니다. 이를테면 지고지순한 본연의 마음자리인 것이지요.

허욕

라캉은 "인간의 욕망은 타자의 욕망"이라고 했지요. 잠시 우리의 욕망을 들여다보실까요. 우리가 대부분 선호하는 직업, 선호하는 학교, 선호하는 외모, 선호하는 배우자 등은 모두 우리가 태어나기 전부터 남들이 이미 욕망의 대상으로 지정해 놓고 있는 것들이지요. 그러니 욕망의 주체는 타자의 욕망에 종속된 상태로서만 허용될 수 있지요. 욕망의 대상을 스스로 발명하지 않고 타자로부터 지정 받는 것이나 다름없는 것이지요. 어떤 사람이 어떤 대상을 욕망한다고 할 때, 그것은 그가 원해서가 아니라, 타자가 욕망하는 대상이기에 원하는 것이라는 것이지요.

그러고 보면 소위 학교나 사회의 모범생들일수록 타자의 욕망에 심각하게 중독된 터이겠네요. 그런데 표면적 의식은 자기가 대상을 주체적으로 원하는 것처럼 착각하고 있다는 것입니다. 부연하자면 개인의 욕망은 일차적으로 최초의 타자인 어머니의 무의식적 욕망에 의해 형성되고 유형, 무형의 힘으로 나를 압박한 아버지, 권위자, 상징계 –법, 도덕, 메트릭스 등–의 욕망들이 의지와 무관하게 내면에 다중으로 각인된다는 것이지요. 따라서 엄밀히 보면 내 행동들에서 자신의 고유욕망이라는 것은 사실상 찾기 어렵지요. 타자를 향한 욕망, 타자의 욕망 대상이 되고 싶다는 욕망, 타자가 욕망하는 것에 대한 욕망 즉, 타자가 욕망하는 것을 욕망하기 등이 나도 모르게 안방 마냥 자리잡고 있기 때문이지요. 레비나스도 한 축 끼고 싶다네요. "타자는 나 보다 높은 곳에 있는 나의 주인처럼 내가 윤리적으로 행동하기를 명령하고 나는 그 명령을 회피하지 못한다. 그러므로 어떤 식으로도 나에게 규정되지 않고, 오히려 나의 힘을 무력화시키고 나에게 명령하는 타자의 얼굴이란, 형이상학의 대상, 규정 불능의 무한자, 곧 신의 흔적과도 같다. 신은 바로 타자의 얼굴을 통해서 내게 말을 건넨다."고요. 약간 뉘앙스가 다르지만 들뢰즈도 한마디 거들었지요. "사람들은 왜 자신의 예속을 영예로 여기는가. 왜 인간은 예속이 자신들의 자유가 되기라도 하듯 그것을 위해 투쟁하는가. 물리적 억압을 동원하는 제도적인 장치들은 개개인의 내면에서 자발적으로 이루어지는 예속 없이는 결코 성공적으로 기능할 수 없다. 결국 그것들이 인간 본성에 위배된다는 것이 드러나면서 와해될 것이기 때문이다. 따라서 제도적 억압의 성공은 그 요인을 개개 인간 내면에서 물어야 한다. 왜 사람들은 예속을 원하는가?"하고요. 들뢰즈도 주체적이지 못하고' 타자의 그늘' 에 '주체를 헌상' 하는 속성을 지적하고 있지요. 앞서 회자

된 철학자들에게는 약간 선배인 헤겔도 『정신현상학』에서 "사실상 욕망의 본질은 자기의식이 아닌 타자에게 안겨지는데 욕망의 진상은 이런 경험을 통하여 자기의식에게 밝혀진다."라고 했습니다.

우습지요. 우리가 죽자 사자 욕망하는 것들이 기껏 내 것이 아닌 남들의 욕망이라니 얼마나 황당합니까. 남의 장단에 춤추는 격이지요. 우리 모두 타자의 욕망에 예속된 포로들이지요. 세상은 '타성화된 욕망'의 포로수용소나 다름없고요. 그러니까 상식이니, 지식이니, 이성이니, 합리적이니 하는 것들도 대부분 타자의 욕망에서 파생된 부스러기에 지나지 않겠네요. 그때그때의 즉흥적 감성에도 "타자의 욕망"흔적들이 얼마나 묻어 있을까요. 오랜 집단 유전적 누적에 의해 본능에조차 타자의 욕망이 오염되지나 않았을까요.

세상의 요구에 물들지 않은 나만의 것은 무엇이 있을까요. 세상의 통상적 기준에서 벗어난 나만의 순수 주체적 욕망은요. 다시 라캉으로 돌아가 보실까요. "소외를 겪는 욕망의 주체는 상징계를 지배하는 타자와의 분리를 통해 완성된다."고 이르지요. 대체 "타자와의 분리"를 위해서는 어떻게 해야 할까요. 라캉은 "이 분리는 주체가 자신뿐 아니라 타자에게도 결여가 있다는 것을 알아차리는 데서 시작된다."고 합니다. 이제 그 결여를 어떻게 알아차려야 할까요. 말년에 라캉은 상징계 안에서 결여를 겪는 욕망 보다는, 상징계 안에선 출현이 불가능한 실재와 어떻게 조우해서 즐거움을 얻을 수 있는지에 몰두하지요. 이는 일찍이 프로이트가 되뇌이던 "그것이 있던 곳에 내가 있어야 한다"를 라캉이 오랜 성찰을 거쳐 창조적으로 수용한 셈이기도 합니다. “충동이 있는 실재계의 차원에 주체가 자리 잡아야 한다.” 즉 타자의 질서인 상징적 질서내지 문화의 질서 안에서 욕망을 길들이는 것이 관건이 아니라, 문화를 통해 교화되지 않는, 제어할 수 없는 충동의 즐거움을 주체에게 찾아주어야 한다는 것이지요.

그러나 아무래도 그 해답은 동양의 고전에서 구하는 게 쉬울 것 같습니다. 논리를 위한 논리를 편식해 온 서양의 언어로는 무한소수마냥 논리의 꼬리 이어달기에 연연할 도리 밖에요. 변증법은 구조상 논리를 깨뜨리기 위한 망치질을 그 숙명으로 안고 있지요. 기껏 공들여 세운 논리도 앞서 자신이 그랬듯이 다시 누군가에 의해 깨뜨려지고 말지요. 인간의 불완전한 언어를 신발로 하는 논리여행은 비실재적 논리의 무한 반복일 수밖에요.

일찍이 언어의 한계를 간파한 동양정신의 진수는 언어도단의 초논리적 경지에 있지요. 곧 직관의 거처인 마음 −의식과 무의식을 망라한− 그 구중심처까지 파고들어가 세상의 언어에 오염되지 않은 감로수를 퍼 마시는 것이지요. 타자의 욕망에 예속된다는 것은 곧 세상의 언어에 오염된다는 것이니까요.

타자의 욕망은 곧 세습적 원죄이지요. 사과라는 언어를 덥석 따 먹고는, 그 침에 오염되고 그 맛에 중독된 업보입니다. 세상의 언어로부터의 해방은 곧 타자의 욕망으로부터 분리되는 것이지요. 다시 말해 세상의 언어에 물들기 이전의 천진무구한 마음으로 돌아가는 것이지요. 그 마음으로 사물과 새롭게 만나는 것이지요. 그것이 라캉의 “문화를 통해 교화되지 않는, 제어할 수 없는 충동의 즐거움”과 얼마만큼이나 일맥상통할지는 더 새겨봐야 하겠지만요. 들뢰즈가 "왜 사람들은 예속을 원하는가는 개개 인간의 내면에서 물어야 한다"고 일갈했던 지적과 함께요.

타자의 욕망이 지배하는 한, 지상의 온전한 자유와 평화는 요원한 과제인 것입니다. 너와 내가 둘이 아니라는 공동체 의식은 타자의 욕망, 그 두껍고 질긴 허망의 굴레로부터 벗어난 순결성이 담보 되어야만 가능한 것이지요. 타자의 욕망은 순수한 자기욕망이 아닌 이를테면 허망인 것이지요. 그러니 하루바삐 참다운 자신만의 것을 욕망해야지요.

자신을 제대로 누리기 위해서는 타자의 욕망으로부터 해방되어 저 내면 깊숙이에서 우러나는 천연의 감동에 취해야 합니다. 그리하여 주체적 가치관의 재정립이 이루어지면 맹목적이다시피 답습해온 탐욕과 집착의 눈먼 먼지를 훌훌 털어내고 자신만의 자유로운 영지에서 유유자적할 수 있는 것입니다. 비로소 우주와의 완연한 합궁이 이루어지는 것이지요.

혀

손자병법

동서양을 가릴 것 없이 비슷한 시기에 위대한 사상이 꽃 피고 무르익던 시대가 있었지요. 대표적으로 공자와 석가와 소크라테스가 활동했었지요. 지금까지도 인류의 영원한 사표로 추앙받는 이른바 세 분의 성현이 아득한 옛날 한꺼번에 동에 번쩍 서에 번쩍 했던 것입니다. 인류사에 있어서 전무후무한 학문과 정신문명의 개화기이자 전성기였지요. 사실 지금까지도 종교와 철학이 그때의 유산을 가지고 설왕설래하며 밥 먹고 사는 것이지요. -기독교는 한참 후에 탄생하지만 그 원전인 구약은 이미 그 무렵에 엮어지고 있었지요.- 따라서 위대한 고전이 만들어지던 시대이기도 하지요. 다만 인도는 성문화 작업이 뒤에야 이루어지지요. 숫자의 발달에 비해 문자의 활성화가 늦어진 탓이었지요. 석가 사후에도 한동안 구전에 의해 계율이나 경전의 결집이 이루어졌습니다. 한편 서양철학의 태동과 집대성을 동시에 이룬 그리스의 고전 못지않게 중국에도 동양사상의 근간인 고전의 대부분이 춘추전국시대에 만들어지지요. 그중에 손자병법이 있습니다.

손자병법을 이야기 하는 데는 몇 가지 오해가 있을 수 있지요. 오기가 쓴 오자병법과 합하여 손오병법이라고 하기도 합니다. 오자병법과 손자병법을 분리하지 않고 소위 공저(共著)의 형태로 몰아가는 것이지요. 또한 손무의 후손인 손빈의 병서와 함께 묶어 손자병법으로 통칭하기도하고요. 그러나 손빈의 병서와 손무의 손자병법은 분명히 따로 편찬한 각각의 저서입니다. 그러니까 오기가 쓴 『오자병법』, 손빈이 쓴 『손빈병법』 그리고 손무가 지은 소위 『손자병법』으로 독립시켜서 불러야 하지요. 하여튼 오기와 손무, 손빈 모두 탁월한 전략가인 것만은 분명하지요. 막상막하였지요.

오기부터 보실까요. 노나라, 위나라, 초나라를 넘나들며 수십 차례의 전쟁에 한 번도 패하지 않은 화려한 전적을 지니고 있지요. 손무 역시 오왕 합려와 부차를 도와 혁혁한 전공을 세우지요. 앞의 두 사람이 전략가임과 동시에 유능한 지휘관인 것과 달리 불구인 탓에 참모 역할에 치중했지만 손빈도 제나라의 위왕을 도와 강대국이던 위나라를 물리치는 놀라운 전과를 이루지요.

그런데 셋 중에 확실히 구분되는 점이 있습니다. 오기는 시기심으로 뭉친 정상배들의 간계에 의해 타국에서 피살당하는 비참한 최후를 마쳤고, 손빈은 일찌감치 친구인 방연의 농간에 불구가 되지요. 그러나 손무는 그들처럼 비참한 풍상을 겪지 않고 무사히 일생을 보낸 것으로 전해집니다. 그래서일까요. 세 권의 병서 중에서도 손자병법이

단연 병서의 텍스트로 애용되고 있지요. "지피지기 백전불태(知彼知己 百戰不殆)라는 귀에 익은 명구가 그 표제이지요. –흔히 지피지기면 백전백승(혹은 백전불패)이라고 표기하기 쉽지요.–

그런데 이 글에서 제가 주목하는 이는 손무가 아니라 오기입니다. 잠시 보실까요. 그 칠십 육전 무패의 영악스러울 정도로 지혜로운 전략가도 정작 자신의 근신에는 서툴렀지요.– 허긴 당시에는 토사구팽이라는 고사성어가 유행하지 않았었지요.– 아무튼 손무와 손빈 두 손씨는 지혜롭게 낙향 은거하여 안온한 말년을 보내지만 오기는 참혹한 배신의 형벌을 치르지요.

손무가 도가사상을 배후 삼았다면 오기는 법가사상에 바탕을 두었지요. 그러고 보니 법가의 대가로 꼽히는 한비자와 이사도 그 죽음이 비참했던 것은 마찬가지네요. "법 좋아하는 사람 치고 잘되는 것 못 보았다."는 속담이 있지요. 걸핏하면 "법대로 하자."고 떠드는 사람도 썩 환영 받지 못하지요. 법은 예나 이제나 도무지 도덕으로 안 먹히는 막장에 가서야 어쩔 수 없이 빌리게 되는 최후의 카드인 것이지요. 보실까요. 출세를 위해 고향을 떠나온 오기도 증자 밑에서 수학하고 있을 때 모친의 부음을 듣고도 돌아가지 않았지요. 그것을 본 스승이 내쫓지요. 비극의 단초였지요. 그는 보아란 듯 냉혹한 법가에 기울게 됩니다. 그 후 제나라가 노나라를 침공해오자 노나라에서는 오기를 대장으로 삼으려 했지요. 그러나 아내가 적국인 제나라 대부의 딸이었어요. 당연히 반대가 많았지요. 그러자 오기는 서슴없이 자기 아내를 죽이지요. 그런 그도 전장에서는, 장군이지만 항상 병사들과 똑같이 먹고 자고 행군하며 고락을 같이 했다고 합니다. 종기가 난 부하의 고름을 입으로 빨았다는 고사는 유명하지요. 아랫사람을 극진히 사랑해야 그들의 충성을 얻는다고 믿었던 것이지요. 어떻게 보면 공과 사에 지독하리만큼 철저했다고 할 수 있겠네요. 과연 법가답지요.

그러나 공사를 따지기 전에 어머니와 아내는 단순한 사유물이 아니지요. 어떤 공적 가치보다도 우선하는 인륜의 근간인 것이지요. 천륜조차도 자신의 출세를 방해하는 걸림돌로 여기고 무참히 제거하고 마는 그의 처세법이 대체 어느 법철학과 어울릴 수 있을까요. 아무리 완벽하게 다듬어진 법이라도 한낱 인위의 소산이지만, 인륜은 그 무엇으로도 제어할 수 없는 자연의 원천인데요. 그것을 깨닫지 못한 벌이 그렇게 크고, 참혹하고, 추악한 것이었지요.

손무와 한편이 되어 전쟁을 치른 오자서가 있었지요. 그도 오기처럼 뛰어난 전공을 세우지만 결말이 좋지 못했지요. 원한이 그 동기였으니 출발부터 잘못 된 것이었지요. 오기도 그랬습니다. 출세에 미친 자신을 비웃는 마을 사람 삼십여 명을 죽이고 위나라를 도망쳐 노나라로 떠나지요. 말리는 어머니에게 재상이 되어 돌아오겠다며 제 팔뚝을 물어뜯기까지 하지요. 어머니를 헌신짝처럼 버리고 출세를 택한 것입니다. 패륜이지요. 그도 사람이라면 마지막엔 어머니를 부르며 죽었겠지요. 왜냐하면 어머니도 아들 생각에 제대로 눈을 못 감았겠기 때문이지요.

우리 마음속에는 저마다 그 천륜이 자리 잡고 있습니다. 생명의 벼릿줄이지요. 어느 누구도 결국 하나의 자연에 불과하다는 증명이지요. 그렇지만 자연은 어떤 인공과도 바꿀 수 없이 위대한 것이지요. 자연의 본심이 곧 마음의 진수인 것이지요. 그것은 어떤 출세와도 비교할 수 없는 지고의 가치입니다. 가장 높고 존귀하고 위대한 것을 저마다 제 속에 두고 바깥으로만 미친 듯이 쏘다니는 것이지요. 곰곰이 생각하면 얼마나 한심한 어리석음입니까. 최고의 손자병법은 자신, 즉 자신의 마음에 최정예 주력부대를 주둔시키는 것이지요.

경쟁

맬서스의 인구론이 엥겔계수를 들이대며 세상을 불안의 도가니 속으로 몰아넣던 시절. 새마을 노래와 함께 "아들 딸 구분 말고 둘만 낳아 잘 기르자"던 구호가 방방곡곡을 들쑤시던 기억이 아직도 새롭습니다. 예비군 훈련을 산부인과 병실에서 때우던 추억도 그즈음의 웃지 못할 풍속도였지요. 하늘의 섭리를 거스른 정관 시술은 참으로 간단했지요. 그러나 피임은 너무도 절박한 현실이었지요.

그때나 지금이나 서민 대중들의 고달픈 현실은 별로 달라진 게 없습니다. 그런데 그때에 비해 인구는 기하급수적으로 늘어난 지금, 저출산을 걱정하며 산모에게 출산 장려금을 지급한다고 법석이네요. 그러나 그 형식적 지원이 가난한 산모들의 부담을 실제로 얼마나 덜어줄지 궁금하고, 마치 사람을 돈 주고 억지로 사는 기분이어서 군사작전이라도 하듯 '산아제한'을 설쳐대던 추억처럼 씁쓸하기만 합니다.

아무래도 미래에 대한 불안 밖에는 대책이 막연한, 가뜩이나 가난과 불평등에 찌들어 제 몸조차도 가누기 힘든 가정의 세습 미아인 '흥부네 자식들' 의 막연하고도 창창한 평생을 어떻게 책임지려는 것인지 아찔하기만 합니다.

우리는 인류사회 행복지수의 임계점인 선의의 경쟁단계를 이탈한 지 오래입니다. 무한경쟁의 회오리바람 속에서 간신히 하부구조를 지탱하는 서민 대중은 지금 생존경쟁의 한도를 넘어 극악한 생존투쟁을 치르고 있는 중이지요. 그것도 친구와 친구가, 국가와 국민이, 부모와 자식이 살벌한 서바이벌게임을 벌이고 있지요. 줄을 잇는 자살은 곧 경쟁에서 밀린 낙오자들의 더는 어찌할 수 없는 극단적 자기 표현방법인데요. 정곡을 찌르자면 전선 없는 전장에서 너도 나도 살아남겠다고 아등바등 설쳐댄 결과가 곧 저 '총성 없는 살인' 으로 나타나는 것입니다.

그런 판에 너무나 흔해서 탈인 '실질적 낙오자' 들을, 국가도 책임질 도리가 없어 내팽개친 '만년음지의 절망인구들' 을 더 늘이자고 안달인 것입니다. 도대체 누구를 위해서, 무엇을 위해서, 절망의 무한소수를 대책 없이 늘여 그렇지 않아도 죽기 살기로 버티는 만성피로증후군 중증환자들을 또 애꿎은 정신병동으로 내몰겠다는 것인지요. 끊이지 않는 자살 행렬, 거리의 낯익은 살풍경이 된 노숙자들, 가뜩이나 비좁은 차도 양변을 무단점거한 채로 다닥다닥 붙어 졸고 있는 노점상들, 막연한 이농과 귀농, 자본주의의 위기를 재촉하는 복병으로 널려 있는 무수의 예비 신용불량자들을 젖혀두고 장래에 대한 최소한의 고려도 없이 절망의 확대재생산이 빤한 잉여인간을 번식하겠다니요.

그런데도 마치 국가와 민족의 장래를 위한 절대적 요청인 것처럼 출산을 장려하는 것은, 봉건시대에 대단위 경작과 생산 증가를 위해 노예가 필요했듯이 계속하여 가난의 악순환을 되풀이해야 하는 '소비사회의 씨받이들'에게 과잉생산을 처리할 현대판 '소비노예'를 양산하게 하려는 교활하고도 뻔뻔스런 일방적 술책에 다름 아니지요.

백 번 접어 선진조국이니 국가경쟁력 따위를 빙자해 무책임하게 자행되는 출산 장려는 소비의 증가, 즉 과밀인구의 혜택을 누리는 기득권층들이 그 여분이나마 경제발전과 국가사회의 공통분모인 서민대중과 나누어 건강한 소비 사회를 이룩하려 들고, 국민 모두가 최소한의 인간적 생활을 누릴 수 있는 복지 대책이 갖추어졌을 때에나 고려해 볼 문제입니다. 거리마다 골목마다 양계공장 속성 육계나 시루 속 콩나물처럼 빽빽한 인파가 멀미날 지경인 판에, 그와 비례하여 확산되어 가는 인명 경시 풍조로 인해 묻지마 식 범죄와 패륜이 난무하는 치안 부재의 악덕세상을 잘 헤아려서 말이지요.

무엇이든 희소가치에 따라 그 값이 춤추는 자본주의의 생리처럼 사람도 귀해야 그만큼 대접을 받는 것은 너무도 자명한 상식이지요. 그런데 만물의 최상이라는 인간으로서의 자화자찬이 무색하게, 너도 나도 귀찮으리만치 흔해빠진 싸구려 범죄예비군으로 전락한 게 숨길 수 없는 우리의 자화상이지요. 그러니 서로가 서로를 욕하고, 짓밟고 심지어 죽이지 못해 안달하는 것입니다.

여기저기서 그런 끔찍한 상극의 현실을 개탄하고 더불어 귀하게 사는 상생의 길을 애끓게 외친지도 한참 되었습니다. 내가 귀한 만큼이나 이웃도 귀히 여기는 데서 사회는 출발하고 존립하는 것인데요. 빼앗기에 급급한 삶을, 함께 나누어 함께 누리는 삶으로 바꾸기 위해서는 공동운명의 소중한 일원인 서로를 어여쁘고 귀하게 여기는 방법밖에는 없지요. 이는 그렇지 않아도 넘고처지는 인구밀도를 무턱대고 밀림화하려 들기 전에 반드시 짚고 넘어가야 할 절체절명의 과제인 것입니다.

어차피 쏘아놓은 화살에 다름 아닌 인구의 과밀을 어쩔 도리가 없는 마당에 우리가 할 수 있는 최선은 이쯤에서만이라도 잠깐 멈추고 뒤돌아보아 밖으로는 가진 것들을 나누고, 안으로는 상호 존중의 공생적 존재가치를 새로이 키워나가는 것이지요. 그러기 위해서는 우선 내 마음부터 열린 마음, 깨친 마음, 따뜻한 마음으로 바꿔야만 합니다. 그 어느 때보다도 마음의 혁명적 전환이 절실한 위기 중의 위기입니다. 제발 철없는 살얼음판 위의 폭탄 돌리기는 한시바삐 그쳐야 합니다.

공공의 것

산에서 내려오는 길이었습니다. 개울가에 감나무 한 그루가 서 있었습니다. 팔이 쉽사리 닿을 만한 가지에는 탐스런 단감이 제법 많이 달려 있었습니다. 굵게 무르익어 있었습니다. 나도 몰래 가지를 끌어당기다가 불현듯 손을 거두었습니다. 저 말고도 숱한 눈길들이 스쳐 갔을 터인데 저렇게 멀쩡한 걸 보면 그만한 이유가 있을 것만 같아서였지요.

주인이 따로 있는 것도 아니고 그렇다고 공공재산으로 다잡고 관리하지도 않는 애매한 물건인데요. 어떻든 저 감나무에 오줌 보시 한 번 한 적 없는 처지니까요. 순간, 가로수 밑에 수북한 은행알이 떠올랐습니다. 요즈음에는 감나무, 호깨나무, 고로쇠나무 등 다양한 유실수들도 가로수로 환대 받고 있지요. 물론 그 과실은 함께 심고 가꾸고 지낸 마을 사람들 공통의 소유지요.

그런데요. 공공의 것들은 개인의 물건보다 손대기 쉽지요. 타인의 물건은 그만의 온전한 소유가 명백하지만, 공공의 것에는 나도 그 일부로 개입되어 있을 터이니 막연하게나마 내 것일 수도 있다고 생각하기 때문이지요. 이를테면 세금 한 푼 내지 않으면서도 걸핏하면 국민의 혈세 운운하며 거품을 물고 권리 주장을 하는 경우처럼 말이지요.

그러나 의무가 전제되지 않은 권리 주장은 사이비권리의 남용이나 오용에 다름 아니지요. 공공의 것은 일정한 절차를 거쳐 공평히 나누어야 하지요. 그보다도 먼저 그것을 씨 뿌리고 가꾸는데 참여해야 할 의무가 엄연한 전제조건으로 요구되는 것이지요.

우리는 보통 공공의 것보다도 개인인 이웃의 물건에 손대는 것을 더 두렵고 부끄럽게 여기기 쉽지요. 그러나 후자의 경우는 한 사람에게 죄짓는 것이지만 전자의 경우는 그만큼 다수에게 죄짓는 것이 되지요. 자연히 그 죄가 크고 무거울 수밖에요. 따라서 공공의 것일수록 더 아끼고 지켜야 하는 것입니다.

마음도 그렇습니다. 네 것과 내 것을 따지려고 들 게 아니라 여럿이 함께 일구어 함께 나누고자 하는 마음이야말로 사심의 먼지에 가린 초심이자 본심이지요. 공공의 마음, 공동의 마음, 공심(公心), 우주마음이라고 할까요. 그런 마음가짐이면 우주도 제 것으로 누릴 수 있는 것이지요.

참회

성당에 가면 고해소가 있습니다. 자신의 죄와 잘못을 고백하고 용서를 비는 장소이지요. 고해소를 나와서는 성서를 읽고 선행을 하지요. 벌을 치른다는 의미의 보속인 것입니다. 개신교에서는 '만인 사제설' 을 들어 인정하려고 들지 않지만 분명 고해성사는 성스러운 행위이지요.

자신의 죄를 진심으로 뉘우치는 것은 성스러운 내일의 시작입니다. 누구나 죄 없이 살기는 어렵기 때문입니다. 아무리 착하고 열심히 살아온 경우라도 뒤돌아보면 크고 작은 죄책감과 후회가 따를 수밖에 없지요. 문제는 얼마나 뼈아프게 잘못을 뉘우치느냐는 것이지요. 그러기에 대개는 아무렇지 않은 듯 흘려 지나가고 말 사소한 잘못도 경건하게 고해하는 마음은 참으로 아름답습니다. 너나 나나 완벽지 못한 인간 주제에 한 점의 후회도 없다면 지나치게 교만한 어리석음이지요.

성인 반열에 오른 아우구스티누스의 참회록이 있지요. 루소의 참회록도 있고요. 톨스토이도 빼놓을 수 없지요. 어디 그뿐이겠습니까. 크고 작은 무수한 손들이 일기장에, 조석으로 드리는 기도 속에 절절한 참회록을 남겼지요. 어찌 보면 인류 역사의 태반은 참회의 누적이자 반복이라고 해야 맞겠지요.

불가에서의 참회도 빼놓을 수 없는 수행의 일단이지요. 참(懺)은 용서를 구하는 것이며 회(悔)는 뉘우치는 것으로 잘못을 뉘우치고 용서를 비는 자기정화작업이지요. 사참(事懺)과 이참(理懺)으로 나누는데 사참은 예배, 절, 염불, 독경을 하는 것을 이릅니다. 이참은 마음은 본래 청정하여 어떤 번뇌에도 물들지 않는다는 사실을 선정 삼매 속에서 꿰뚫어 죄의식을 훌훌 털어 버리는 것이고요.

초기 기독교에서 사십 일간의 금식과 참회를 통해 사순절을 철저히 지켰지요. 불가에서는 포살과 자자 등의 의식을 행하기도 합니다. 포살은 수행자들이 보름마다 한 번씩 큰 스님을 모시고 계를 범한 수행자가 대중 앞에 자신의 죄를 고백하여 참회하는 의식이지요. 자자는 매년 하안거의 마지막 날에 수행자들이 모여 자신의 죄를 뉘우치고 서로의 죄를 비판하며 참회하는 의식이고요.

후회는 있을 수 있습니다. 그러나 되풀이 되어서는 안 됩니다. 그 뿌리를 뽑는 것이 곧 참회입니다. 대개 고해와 참회는 같은 의미로 쓰이지만 나름의 미묘한 차이가 있지요. 성당에서는 하느님의 대리자 앞에서 자기 죄를 고백하고 죄 사함을 받는 타력신앙에 의지하기에 고해

(告解)라고 하지만 불가에서는 죄를 뉘우치고 수행하여 스스로 죄의 굴레에서 해탈하는 자력신앙에 근거하기에 참회(懺悔)라고 하지요.

그러나 고해든 참회든 간에 그것은 우리 자신과 마음을 다스리는 데 가장 현재적인 행위이며 나아가 가장 미래지향적인 행위이지요. 그러기에 개과천선은 선중에서도 가장 절실하기 마련입니다. 마음의 평안을 위해서는 고해나 참회는 간곡하고 깊을수록 좋습니다.

정의

진리는 인간 생활의 순수한 이론적 측면으로 나타나는데 선과 정의는 실천적 측면으로 나타난다고 하지요. 그 실천적 측면 가운데 내적 발현이 선(善)이고 외적 발현이 정의(正義)이지요. 객관적 실천을 담보로 하는 정의는 사회 대중과 즉각적이고도 긴밀한 관계가 있습니다.

빈민의 아버지로 추앙 받는 피에르 신부는 가톨릭 사제이면서도 신앙인에게는 정의가 사랑만큼 중요하다고 강조했지요. "교회를 짓는 것보다 집 없는 자들의 주택을 짓는 것이 더 중요하다."고도 했지요. 그가 새로 시작한 빈민구제공동체인 엠마우스의 첫 가족은 조르주라는 이름의 전과자였습니다. 존속살해 혐의로 20년이나 옥살이를 하고 출감하여 실의에 빠진 나머지 자살을 기도했지요. 그런데 조르주에게 피에르 신부는 빈민 구제용 주택 건립 사업에 동참하기를 부탁

합니다. "당신은 죽음을 각오한 터이니 걸릴 게 없겠지요. 이 집을 빨리 완성할 수 있게 죽기 전에 나를 좀 도와주지 않겠소?"라고요. 이 말에 놀라고 감격한 조르주는 죽을 때까지 신부를 헌신적으로 돕지요. 그냥 두었으면 죽거나 폐인으로 전락했을 한 부랑자에게 전에 없던 삶의 가치와 환희를 심어준 것이지요. 그것도 자신뿐 아니라 이웃을 위해 봉사하게 함으로써 분에 넘치는 긍지와 보람을 선물한 것입니다. 인생의 극적 반전을 꾀한 최고의 동기부여였지요. 그야말로 조르주에겐 극과 극을 오간 갱생이며 부활이었지요.

그런데요. 차츰 노숙자와 집 없는 아이들 수가 늘어나자 신부는 공유지에 천막촌과 판자촌을 건설하기 시작했지요. 말하자면 불법건축인 셈이지요. 건축 담당 공무원이 찾아왔습니다. 피에르 신부는 "아이들을 얼어 죽게 내버려 두는 것은 범죄가 아니고, 아이들을 얼어 죽게 하지 않으려고 건축 허가 없이 판잣집을 짓는 일은 죄가 됩니까?"하고 타이르지요.

대개 악법도 법이라는 명제를 두고 이상과 현실 사이에서 고민을 하고 괴리를 앓게 되는데요. 위의 경우, 법은 이상도 아니고 그렇다고 현실도 못되지요. 당장 집이 없어서 얼어 죽게 되는 아이들처럼 절실한 현실이 어디 있겠습니까. 또 그 절박한 현실을 타개하기 위해 법을 위반할 수밖에 없는 또 하나의 현실은 거역하기 어려운 초법적 이상인 것이지요. 생명이 위독한 환자를 싣고 가면서 신호등 타령할 시간이 어디 있습니까. 철로에 뛰어드는 것은 분명 위법이지만 위험을 무릅쓰고 철로 위에서 승객을 구해낸 영웅들의 기사는 우리를 감동시킵니다.

경제력이 없는, 집에 대한 책임이 없는, 그러나 집이 없어 얼어 죽어가는 아이들이 얼어 죽지 않게 하는 것은 어떤 법보다도 상위법입니다. 집이 없어서 당장 얼어 죽어가는 아이들에게 집을 마련해 주지 못하는, 그리고 그 아이들을 수용할 집을 짓는 것을 말리는 국가는 존재할 이유도, 법을 운위할 자격도 없지요. 일차적으로 아이들은 얼어 죽지 않을 권리가 있습니다. 천부인권은 어떤 법보다도 우선한 절대법이지요. 그러기에 그 아이들을 재울 집을 짓는 것은 위법이나 탈법이 아니라 '초월적 적법' 이며, 천부인권이라는 최상위법의 일차적 절차법이지요. 너무도 당연하고 절박한 사회정의입니다. 어른이라면 누구를 막론하고 아이들에게 불특정 익명의 보호자인 만큼 도저히 그냥 지나쳐서는 안 되는 최소한의 인간적 도리이지요.

연민과 긍휼, 공공성을 그 원천으로 하는 정의는 인간의 마음 중 가장 고귀한 초발심으로, 말려서도 안 되고, 말릴 수도 없는 지고의 가치이지요. 따라서 어떤 법보다도 우월하고 당연한 사회의 기본법인 것이지요. 대개 정의에는 제약이 따르고, 희생이 요구되는 등 고도의 인격적 집중을 담보로 하는 자기승화의 일단입니다. 정의심을 발할 때만큼 인간이 동물과 비교되고, 아름답고, 멋지고, 숭고한 경우는 없지요.

거짓말

몇 년 전이던가요. 노희경이 쓴 드라마에 〈거짓말〉이 있었지요. 섬약하지만 지적이고 디테일한 이성재의 연기가 매력적이었지요. 요즈음엔 조항조의 노래 〈거짓말〉이 유행하는가 보지요. 첫 소절부터 "사랑했다는 그 말은 거짓말"이라는 원망부터 시작하네요. 그런데 그 원조는 김추자이지요. 그녀는 제목조차도 〈거짓말이야〉에서 "거짓말이야"를 무려 다섯 번이나 반복한 다음 이윽고는 "사랑도 거짓말"이라고 선언하는 등 노래 전체를 "거짓말이야"로 아예 도배를 했지요. 내로라하는 가수들이 목청을 높여 하나같이 거짓말의 피해자를 대변하고 있네요.

저 역시 거짓말이라는 단어에서 자유스러울 수 없습니다. 그것도 피해자가 아니라 가해자 입장에서요. 뒤돌아보면 후회가 많습니다. 웬만한 것들은 시간을 핑계로 지나칠 수 있겠는데, 기억에 또렷한 거짓말은 지금도 견디기 힘드네요. 하지 않았어도 될 거짓말을 서슴없이 한 자신이 용서가 안 됩니다. 부끄러운 만큼이나 밉습니다. 거짓말이라고 해서 행여 남에게 피해를 준 적은 없다고 강변하다가도, 때로 남을 속이려다 결국 자신을 속이고만 사실에 아연할 수밖에요. 뻔히 알고 있으면서도 사실과 다른 말을 하는 거짓말은 먼저 자신을 속이지 않고는 불가능하지요. 그런데도 그 사실은 깜빡 잊기 마련이지요. 마침내 제정신이 들면 자아에 대한 불성실에 몸둘 바를 모르지요.

맘 잡고 자신을 갈고 닦으려는 마당에 거짓말만큼 끔찍한 적(敵)은 없습니다. 아무리 하찮은 거짓말이라도 그동안 쌓아온 노력을 일거에 수포로 돌리고 말기 때문이지요. 털끝만큼이라도 거짓이 낀다면 결코 온전한 자아가 될 수 없지요. 감히 인격적으로 대접 받을 염치를 접어야 합니다.

거짓에 작고 큰 것이 어디 있습니까. 거짓은 거짓이지요. 사소한 거짓말일수록 경계해야 합니다. 작은 거짓말이 쌓여 크고 위험한 거짓말로 발전하는 것이니까요. 처음부터 소도둑이 따로 있지는 않지요. 바늘도둑이 소도둑 되는 것이지요. 아예 큰 거짓말 한번 시원스럽게 하고나서 당당히 죗값을 치르든지 한바탕 뼈저린 참회를 하고나면 오히려 자신을 다스리기 나을 수도 있을 텐데요.

"가랑비에 옷 젖는다."는 속담이 있지요. 큰 거짓말은 배짱이 없어서 못하고 좀스런 거짓말을 끊지 못하는 경우가 많지요. 그러다 보면 큰 사람은 고사하고 제대로 사람 되기도 어렵지요. 내가 가진 만큼만, 내가 상대에게 해 준 만큼만 인정받을 수 있다면 만족해야지요. 괜히 체면치레로 그 이상의 것을 바라는 데서 쓸데없는 거짓말이 툭툭 튀어나오기 쉽지요.

때로 상대를 위해 거짓말을 하는 경우가 있다 손 칩시다. 그러나 그런 극약처방은 함부로 써서는 안 되지요. 아무리 선의의 경우라도 거짓말은 따로 그만큼의 대가를 치러야 하니까요.

거짓말은 또 다른 거짓말을 필요로 합니다. 일파만파의 번식력을 지닌 게 거짓말입니다. 거짓말은 거짓말에 의지할 수밖에 없는 한계와 속성을 지녔기 때문이지요. 거짓말을 해서 그 순간만큼은 편할지 몰라도 두고두고 그 몇 배의 불편을 겪게 되는 것이지요. 그러니 순간의 난처함을 피하지 말아야겠습니다.

진실은 자신과의 최초이자 최후의 약속임을 잊지 말아야지요. 정녕 사심 없이 진실하다면 설사 남이 알아주지 않는다 해도 최소한 자신만은 자기를 알아주겠지요. 그것이 제일 중요하지요. 자신에게 떳떳하다는 사실처럼 소중한 마음의 재산은 없지요. 거짓이 없는 마음자리가 자신의 본래 위치입니다. 그러니 마음속에 거짓이 설 땅을 만들어선 안 됩니다.

거짓말은 자기 소리가 아닙니다. 마음에 도둑이 들어서 주인의 입을 틀어막고 마치 제가 주인인 양 떠벌리는 것이지요. 거짓 없는 마음은 가장 편합니다. 평화롭습니다. 자유롭습니다. 떳떳합니다. 고요합니다. 싱싱합니다. 따라서 가장 건강한 것입니다.

언어

마침내 참다못해 언론에서 한마디 했네요. 요즈음 가요 중 통 알아들을 수 없는 노랫말들이 너무 많다고요. 영어인지 국어인지 모를 가사가 설치기 시작한 지는 오래됐지요. 아예 문법을 도외시한 가사도 부지기수입니다. 듣기 민망할 정도의 저급하고 유치한 가사는 또 얼마나 범람하는지요. 가요뿐이 아닙니다. 벙어리의 옹알이 같은 신조어와 불편한 줄임말들이 일상어가 된지 오래지요. 이름들도 엉망이지요. 예전에는 일반인이든 예능인이든 이름만 들어도 그 성향을 쉽사리 헤아릴 수 있었지요. 반면에 지금은 국적불명의, 도무지 그 속내를 가늠할 수 없는 이름들이 판을 치고 있습니다. 의미가 사라진, 단순히 말초적 소리만 횡행하는 탈 문법, 탈 언어의 막장을 사는 듯한 느낌입니다.

굳이 공자 맹자를 들먹이지 않더라도 사람은 그 언어와 이름을 바르게 하는 데서 사회적 가치와 자격을 지닐 수 있지요. 뜻이 사라진 소리만의 난장판은 잠시 말초적이고 표피적인 해방감은 누릴지 몰라도 결국 스스로 걷어치운 중심과 무게의 결핍으로 인하여 무중력의 수렁에 빠지게 됩니다.

그런데 소리의 발원지는 몸이지요. 이성을 기만하고 배반한 이성에 실망하여 대두된 니체의 몸 철학에 경도되면서 정작 존재의 핵심인 마음이 뿌리째 흔들리고 고사하여가는 참담한 이율배반이 한동안 풍미하고 있는 것입니다. 애초 하나의 공동운명체인 몸과 마음을 분리하여 어느 한쪽에만 초점을 맞추거나 지나치게 기울어지는 '불구의 철학' 은 심각한 대가를 치를 수밖에요. 기표와 기의는 상호 합작이어야지 일방적으로 언어를 독식할 수는 없습니다.

소리가 몸의 발산이라면 뜻은 마음의 발현이지요. 헌데 가만 보면 문어체로는 심신(心身)으로 마음을 앞에 두는데 구어체는 몸과 마음이라고 그 순서를 바꾸네요. 그러나 몸을 함부로 하지 않는 것은 곧 마음을 진중하게 갖는 것을 이릅니다. 몸이 사라지면 그 마음도 사라지지요. 반면 마음이 꾀꾀로 추스르지 않는다면 몸은 잠시도 지탱할 수 없지요. 본디 몸과 마음은 이분법적으로 차별화해서 순서를 매길 수 없는 법인데요. 그럼에도 굳이 일란성 쌍둥이인 둘을 앞뒤에 위치시켜 불러야하는 것이 인간에게 허용된 언어나 문자의 한계이기도 하지요.

현존(現存)은 언어 이전, 즉 언어의 음속을 벗어난 초음속 비행인 셈이지요. 알고 보면 오묘하기 그지없는 생명체의 디지털적 선발현상을 언어라는 아날로그로 '후발 표기' 하는 것이지요. 그러니 그 실재가 아닌 가상의 언어에 휘둘려 몸과 마음의 실상을 스스로 오해하고 외면하는 어리석음을 어서 확연히 깨쳐야 하는 것입니다. 마음은 언어도단의 무궁무진한 고차원에 그 주소를 두고 있음을요.

예방

중국에서 의성으로 꼽는 편작이 있습니다. 화타나 장중선이 삼국지에 나오는 조조와 동시대의 명의들임에 비해 한참 선대인 춘추전국시대의 전설적 인물이지요. 그는 "큰형은 발병하기 전에 미리 병을 고친다. 작은형은 초기단계에 병을 치료한다. 그런데 나는 환자의 병세가 심각하여 고통을 호소할 때에야 약을 쓴다. 그러니 셋 중에 큰형이 제일 낫고 다음이 작은형이고 내가 제일 못하다."고 했지요. 미리미리 알아서 대처하는 예방의 중요성에 대해 강조한 것이지요.

얼마 전만 해도 초등학교를 국민학교라고 불렀지요. 그때는 누구나 팔뚝에 두세, 서너 개씩 훈장을 달고 다녔지요. 천연두 예방접종 자국이었지요. 목숨을 앗아가는 경우는 두고라도, 고운 얼굴에 성한 데 없이 박박 얽은 동굴을 가면처럼 달고 사느니보다는 반팔만 입어도 가릴 수 있는 팔뚝의 흉터가 열백 번 나았지요.

천연두는 오랜 기간 동안 인류를 괴롭혀 온 전염병으로 BC 1156년에 죽은 이집트의 파라오 람세스 5세도 천연두에 걸렸었다고 그의 미라가 증언한 바 있지요. 1967년만 해도 세계에서 200만 명이 천연두로 죽었다는 기록이 있습니다. 우리나라에서도 한창일 때는 환자의 절반 가까이가 죽거나 곰보가 되는 형편이었다고 하지요. 흔히 마마라고 했지요. 손님이라고도 했고요. 다행히 예방접종이 실시되면서 언제 그랬냐는 듯이 사라지게 되었지요.

천연두 예방접종을 종두법이라고 하는데 면역물질을 천연두 환자의 몸에서 구한 것은 인두법이라고 하지요. 제너가 발명한 우두법은 마마에 걸린 소에게서 면역물질을 구한 것이고요. 우리나라에서는 정약용이 『마과회통』에서 신증종두기법상실(新證種痘奇法詳悉)이라고 우두법을 소개하고 있지요. 역시 훌륭한 선각임을 다시금 되새기게 됩니다. 구한말 지석영은 우두법의 보급에 힘썼지요. 그는 의사이면서 한글학자이기도 했습니다. 그런데 그보다 먼저 조선 헌종 때 인두법이 시행되고 있었지요. 인두법은 일찍이 인도에서 시작되었고 중국 송나라 때도 통용되었지요. 자칫 면역물질을 사람의 몸에서 구하다 오히려 새로 감염되는 부작용이 심한 탓에 우두법에 비해 별 효력이 없었지요. 서양에서도 제너가 우두법을 발명하기 전에는 동양에서 수입한 인두법을 써 먹었지요. 그러니까 서양은 인두법에 이자를 쳐서 동양에 우두법으로 역수출한 셈이지요.

천연두는 한 번 앓고 나면 재발하지 않지요. 따라서 예방 접종을 하면 마음을 놓을 수 있었지요. 여기에서 마음을 놓는다는 뜻은 방기

(放棄)가 아니라 안정을 뜻합니다. 우리 마음에도 예방접종을 해야겠습니다. 마음의 천연두인 슬픔, 분노, 번뇌가 심하면 죽기도 하지요. 때로 불치의 병을 앓게 되지요. 낫는다 해도 그 후유증이 치명적인 경우도 있지요. 더욱이 고약한 것은 앓고 나면 면역력이 생기는 게 아니라, 앓을수록 엎친 데 덮친 격으로 오히려 확인사살이라도 하듯 더 악화시키려 드는 것이지요.

마음은 몸보다 다루기가 더 힘듭니다. 예방접종도 지혜롭게 해야 합니다. 한 번 앓고 나면 다시는 그런 증상을 반복하지 않게 말이지요. 어린아이도 한 번 데고 나면 다시는 뜨거운 물에 손을 넣지 않지요. 그 기억소자가 누구에게나 있습니다. 그러니 작은 상처를 통하여 큰 병을 막아야지요. 간접 경험을 통해 직접적인 충격을 완화하는 것도 필요하고요. 평소 신체의 운동을 열심히 하듯이 마음의 운동도 열심히 해야지요. 역경에 처해서는 깊고 넓고 탄탄한 마음의 면역력을 기르고, 평소에는 꾸준하게 흔들리지 않고 여유로운 평상심을 기르는 것입니다.

무엇보다도 마음의 천연두, 그 허상을 꿰뚫어 보는 마음의 눈이 필요 하지요. 제대로만 보면 어떤 슬픔, 분노, 번뇌도 발붙일 수 없지요. 그리하여 마음속에 어떤 신종 바이러스가 밀어닥쳐도 오래 전에 예방접종을 마친 것처럼 마음을 놓을 수 있는 경지에 이르러야겠지요.

웃음

우리는 하루에도 수없이 많은 얼굴을 합니다. 대하 모노드라마인 셈이지요. 그리고 또 시시각각 도처에서 무수한 모노드라마의 주인공들을 마주칩니다. 우리 모두가 주연이자 관객인 것이지요. 그런데 그 많은 얼굴 중에서 눈을 씻고 보아도 똑같은 얼굴은 없지요. 복사판 같은 쌍둥이라고 해도 찬찬히 뜯어보면 어딘가 다른 구석이 있기 마련이지요.

그러나 몇 가지 공통점은 찾아볼 수 있습니다. 얼굴 중에서 가장 흉하기로는 붉으락푸르락 화내는 얼굴이지요. 화가 진동하면 사색이 되지요. 얼굴이 균형을 잃고 일그러지게 됩니다. 입에서 거품이 이는 경우도 있지요. 목소리는 부들부들 떨려 나오지요. 소름이 돋을 밖에요.

다음으로는 우는 얼굴이지요. 역시 얼굴이 일그러지지요. 주름살은 고랑이 더 깊어집니다. 눈물에 콧물까지 주체 못하는 경우도 있지요. 목소리는 쳐지고 거슬리게 되지요. 귀엽기만 한 아이들조차 울 때는 거슬립니다. 그렇게 얼굴이 흉한 것은 차치하고 분노나 슬픔이나 건강을 해치는 독이긴 마찬가지이죠.

반면에 웃는 얼굴을 만나면 저절로 기분이 좋습니다. 같이 웃다보면 주름살이 펴지지요. 얼굴에 생기가 돌지요. 목소리는 낭랑해지지요. 웃는 얼굴 중에서도 아이들의 웃는 얼굴이 단연 최고입니다. 그 마음에 티가 없기 때문이지요. 물론 웃음 속에도 내키지 않는 경우가 많지요. 비웃는 웃음, 아첨하는 웃음, 기가 막혀서 짓는 웃음, 공허한 웃음 등은 차라리 무표정만도 못하지요. 하여튼 아무 사심 없이 웃는 웃음은 좋은 것입니다. 기쁘고, 즐겁고, 유쾌하고, 명랑하고, 후련한 것이 웃음의 여파지요. 웃음은 보약 중의 보약이라는 이야기를 또 되풀이할 필요는 없겠지만 웃음소리가 세상에 될수록 많이 울려 퍼졌으면 하고 간절히 바랄뿐이지요.

칸트는 "긴장했던 예상이 갑자기 무(無)로 돌아갈 때 웃음은 터진다."라고 했습니다. 스펜서는 "웃음은 의식이 큰일에서 사소한 일로 불시에 바뀔 때 발생하는 감정과 감각의 신체운동"이라고 했고요. 웃음에 대해 꽤 많은 시간을 할애한 베르그송도 "웃음은 생명적인 것에 덧붙여진 기계적인 것"이라고 했지요.

우리는 사람이 기뻐서 웃는 것으로만 생각합니다. 그런데 윌리엄 제임스는 "사람은 웃으므로써 행복하다."라고 순서를 뒤집어 놓았지요. 행복이 별거 아니네요. 일단 먼저 웃기만 하면 되니까요. 난데없이 천동설을 뒤엎은 지동설 같지요. 그런데 놀랄 일이 아닙니다. 시계바늘을 약간만 뒤로 돌려 보실까요. 전에는 정초가 되면 집집마다 벽 안팎으로 '소문만복래(笑門萬福來)' 라는 부적을 크게 써 붙였지요. 마치 절 기둥의 주련처럼 세로로 길게 늘어뜨린 게 인상적이었지요. 또 〈웃으면 복이 와요〉라는 코미디 프로도 있었지요. 꽤 장수 했었지요.

그렇듯 우리 민족에게 웃음은 행복과 불가분의 동의어였지요. 웃음은 곧 행복을 부르는 주술이자 부적이었습니다. 일단 웃고 보자는 것이지요. 먼저 웃어야 그 웃음이 동력으로 작용하여 참으로 웃을 수 있게 된다는 대단한 철학이 숨어있지요.

그러면 웃음은 누가 시키는 것일까요. 마음의 짓이지요. 형상 없는 마음이 얼굴을 빌려 외부로 나타나는 것이지요. 마음에게 자꾸 주술을 불어넣어야겠네요. 웬만하면 웃자고 말예요. 웃음은 마음속 젖은 그늘을 말리는 쾌적한 햇볕이니까요.

위선과 위악

추위에 떨며 크렘린 주변에 심술궂게 웅크리고 있을 것만 같은데 러시아에는 역동적으로 활동한 유명 예술가들이 많습니다. 세계적인 음악가로 차이코프스키와 스트라빈스키가 있지요. 니진스키던가요. 불세출의 무용수였지요. 화가 칸딘스키도 그냥 지나치면 서운하다고 하겠네요. 이름을 불러놓고 보니 마치 무슨 스키장에 온 것 같네요. 또 한 사람의 스키가 있네요. 도스토예프스키요. 톨스토이와 더불어 세계 소설계의 양대 산맥을 이루고 있다고 해도 과언이 아니지요. 두 사람 다 원체 굵직한 대작들이 많아서 마땅히 대표작을 꼽기가 난감하지요. 그래도 굳이 들춘다면 『카라마조프가의 형제들』과 『전쟁과 평화』 정도가 되겠네요. 도스토예프스키의 『카라마조프가의 형제들』이 도시 뒷골목을 기웃거리는 음울한 심리학의 참고서라면 톨스토이의 『전쟁과 평화』는 광활한 초원을 누비는 웅혼한 대서사시에 비할 수 있지요.

동시대에 활약했으면서도 둘은 작품세계는 물론, 생장환경, 생애, 성격, 자기관리 등에서 판이했지요. 굳이 공통점을 찾자면 둘 다 어중간히도 추남인 것, 한때 정욕을 주체 못해 안타까워한 것, 형의 죽음에 상처를 입은 것, 그리고 여자관계가 별로 매끄럽지 못한 것, 죽었을 때 추모객들이 많은 점 등이 있지요. 또 있네요. 알게 모르게 종교적이었다는 사실도요. 톨스토이는 간디에게 비폭력사상과 공동체운동의 씨앗을 심어 줄 만큼 치열한 신앙인이자 사상가이기도 했지요. 반면 도스토예프스키는 작가의 명성만 빼놓으면 도박중독에, 빚쟁이에, 이기적이고 시기심 많은 평범한 소시민이었지요.

그런데 톨스토이는 성자의 일면을 엿보게도 하지만 아무래도 위선의 냄새를 떨치지 못하게 하는 곤혹을 혹으로 덧붙여 주기도 합니다. 그가 추구한 성자가 너무 추상적이라서 일까요. 부분적으로 실제 자신의 이야기가 담겨진 『부활』과 『안나 카레니나』에서 보듯 시렁 위의 지고지선과 발밑의 작심 사이에 심증적으로 괴리가 느껴지기 때문일까요. 그래도 지적 미완과 도덕적 오류에 대한 결벽증에 평생 시달리던 82세의 노객이 그 추운 땅에서 안락한 부귀를 남의 것처럼 쉽사리 버리고 집을 나가는 용기는 웬만한 수행자도 따라 하기 힘든 탈속(脫俗)이지요. 한편 도스토예프스키에게서는 위악의 몸짓이 보입니다. 톨스토이에 비해 작품마다 고약한 악인들이 등장하지요. 인간의 저질과 참담과 불쾌 등 추악하고 음산한 면이 소름 끼치도록 적나라하게 드러나지요. 한편 흉측하고 사악한 인성 속에서도 아름답고 고귀한 신성을 도출해내는 탁월한 반전은 톨스토이의 인생론 못지않은 소중한 업적이지요.

그런데 가만 보면 톨스토이보다 도스토예프스키를 더 좋아하며 연민을 느끼고 공감하는 작가와 예술가, 그리고 독자들이 더 많은 것 같지요? 왜일까요. 톨스토이의 위선보다 도스토예프스키의 위악에 끌리는 것이지요. 위선이 다분히 기만으로 보이는 것에 반해 위악은 거칠지만 솔직함으로 비치기에 일단 거짓의 혐의에서는 자유롭지요. 따라서 대부분 심정적으로 수긍하고 동정하게 되는 것이지요–어쩌면 자기 마음속에 웅크리고 있는 죄의식이 동병상련의 호감을 느끼는 지도 모르지요–.

그러나 인간은 누구나 미완에서 출발합니다. 아무리 선한 사람이라도 그 이면엔 어느 정도의 거짓과 불성실이 거품으로 끼어 있을 수밖에 없지요. 그것이 내심은 추악하면서도 겉으로만 선한 척 소위 악어의 눈물을 짓는 위선과 한물의 물고기로 오해당하는 것이지요. 일관되게 선을 지향하면서도 아직 완벽한 선에는 2%가 부족한 경우와, 악의 발톱을 숨기고 겉으로 선을 가장하는 경우를 혼동하진 말아야지요. 누구든 참다운 선에 이르기 위해서는 다소의 갈등과 시행착오를 겪기 마련이지요. 그것을 위선으로 호도해서는 안 됩니다.

위악은 대개 선 콤플렉스의 변종이지요. 풍자나 패러디처럼 위선을 타파하는 도구적 장치로 기능하지요. 그러나 자신은 상대에 턱없이 못 미치면서도 일부러 위악을 클로즈업시켜, 지고의 선에 이르는 과정 속에 있는 미완의 노력을 무참히 희화화하는 횡포는 삼가야지요. 이를테면 똥 묻은 개가 겨 묻은 개를 조롱하고 비난하는 것이니까요.

탤런트 정혜영과 남편인 가수 션이 있지요? 남다른 부부애를 과시하고 보기 드문 선행을 베푸는 모습이 보기 드물게 아름답지요. 김장훈과 문근영은 또 얼마나 대단합니까. 그런데 그런 순수한 자발적 선(善)조차 색안경을 끼고 가식으로 보는 시선들이 있지요. 그따위 부류일수록 대개는 자신은 털끝만큼의 이웃돕기도 한 적이 없지요.

하여튼 위선이나 위악이나 거짓 위(僞) 자를 말머리로 하고 있지요. 가장하는 건 마찬가지인 것이지요. 위선이 선을 가장한 사기인 반면에 위악은 솔직을 가장한 일련의 테러이지요. 위악에는 나름의 트릭이 있지요. 굴절된 마음속의 찌꺼기를 투사하고 싶은 패거리를 규합하여 미숙한 선을 공격하고 조롱하는 것이지요. 얼핏 무모하리만치 자신을 비하하고 들추는 것 같지만 고도의 '자기 보호적' 심리가 숨어 있는 것이지요. 그래서일까요. 요즈음엔 위악이 위선보다 더 교활한 경우가 흔하지요. 그러나 참다운 인격은 악해지려는 유혹을 뿌리치고 선을 지향합니다. 선에 대한 간절한 열망과 위선에 대한 투명한 자기검열이 인격의 요체이지요. 물론 거기에 위악이 들어설 여지는 당연히 없지요.

혹시라도 자기 마음속에 위선이나 위악의 먼지가 숨어 있는지 시시각각으로 탈탈 털어낼 일입니다. 위선과 위악은 자기가 아니지요. 객이 들어와 가면을 눌러쓰고 주인 행세를 하는 것입니다. 누구나 처음엔 당연히 자기를 꾸밀 줄 몰랐지요. 그러니까 있는 그대로가 자신인 것이지요. 따라서 두 고약한 객(客)만 키우지 않아도 마음은 한결 맑고 밝고 고요할 수 있지요.

유머

유머는 축축한 것을 뜻하는 라틴어 umor에서 유래하였다고 합니다. 사람의 기질을 좌우하는 것은 습기(체액)라고 생각했던 그리스인들의 성향이 잘 나타난 말이지요. 기분이 좋으면 체액이 증가하지요. 요새 자주 쓰는 말로 엔돌핀에 비할까요. 그 체액을 이르던 말이 차츰 웃음을 유발하는 자극적인 언어나 행위를 의미하는 표현으로 바뀐 것입니다. 유머는 공격적인 감정을 사회적으로 용인시킬 수 있는 방식으로 해소시키는 장치라는 주장이 있지요. 인류가 도시화함에 따라 몸으로 하는 유머는 지고 말을 빌린 유머가 나타나는 경향이 있다고 하네요.

하여튼 유머는 웃음을 불러일으킵니다. 웃음을 통해 지나친 긴장 상태의 완화가 이루어지는 효과가 있지요. 긴장은 좋지 않습니다. 경직되어 있는, 즉 심신의 어딘가가 뭉쳐 있다는 반증이지요. 자유로운 심신의 작용을 억압하는 것이죠. 심하면 당연히 건강에 해롭지요. 운동선수들도 너무 몸이 경직되어 있으면 제대로 실력발휘를 못하지요. 적당한 긴장은 산만한 부주의로부터 마음을 다잡는 기능을 하지만 지나치면 심신의 원활한 운동을 막아 병을 부르게 되지요.

유머는 딱딱하고 삭막한 생활을 부드럽게 마사지 해주는 윤활유이지요. 스트레스를 푸는 데 한몫 하기도 하고요. 그런데요. 유머를 하거나 듣거나 간에 어두운 기분으로는 할 수 없지요. 일단 밝고 가벼운 마음이어야 유머가 자리 잡고 통할 수 있는 것입니다. 설사 유머를 탐탁지 않게 여긴다고 해도 마음을 밝게 가지는 것만큼은 건강의 기본이지요. 그러니 유머가 놀러 올 수 있는 통로를 열어둘 필요가 있습니다. 이왕이면 유머를 이웃에게 베푸는 여유까지 있다면 더욱 좋고요.

작은놈

마을에서는 누구나 그를 작은놈이라 불렀지요. 동생들 겸사겸사 한 타래 묶어 학교 넣던 해 덩달아 그도 호적에 올리면서 면사무소 직원이 즉석에서 지어 준 이름이 따로 있지만 그냥 그렇게들 불렀습니다. 또래들 한참 연애편지 쓸 무렵에야 겨우 말문 갈마들며 터진 그는 완벽한 까막눈에 나이를 물으면 극터듬 듯 손가락 꼽다가 제풀에 겨워 그만두곤 했지요. 말보다도 질레벌레 침이 앞동질러 흐르는 입술로 떠듬떠듬 아무에게나 반말을 해댔습니다. 아버지뻘에게도 대수롭잖게 욕까지 지껄여대도 그냥저냥 실실 웃으며 지나칠 뿐 누구하나 탄치 않았지요. 한참 어린아이들도 우렁이 속 딴숨 쉬는 그와 발림수작하며 말 트고 지내듯 고난도 통역이 필요한 그의 말은 못 들은 척하면 그만이었습니다. 하여 그는 마을에서 내놓고 치외법권적 자유와 권리를 누리는 유일한 예외였지요.

그런데 누구 하나 살갑게 붙여 주는 동무가 없어서 늘 혼자 놀던 그가 어느 날부턴가 숱은 말술이고 노름판마다 빠지는 법 없이 되바라진 것이었습니다. 패만 쥐었다하면 어김없이 두 눈 반짝반짝 빛나서 삼봉과 고스톱 복잡한 끗발도 순식간에 얀정머리 없이 척척 챙기는 것이었지요. 섯다판에서도 마음고름 동여맨 그 속내를 읽어내기란 요원하기만 하고, 때로는 능질맞게 고수들조차 속이곤 하는 것이었지요. 그럴 때면 마을은 온통 너나없이 그 신비한 '천재적 실용'에 뒤통수를 얻어맞고 귀신에게라도 잔뜩 홀린 기분이었습니다.

흔히 그런 경우 늦터졌다고 하지요. 그런데 놓친 것이 있습니다. 누구 하나 제대로 그 친구의 마음속을 들여다보지 못한 것이지요. 아예 관심 밖의 열외로 저만치 버려둔 채, 그 사그랑주머니 같은 마음은 헤아리려고 시도조차 하지 않았지요.

누구에게도 나름의 '마음 세계'가 있습니다. 겉만 봐서는 측량할 길 없는 고유의 영토이지요. 마음의 영토는 한량이 없어서 허공처럼 무한 팽창의 가능성을 지니고 있습니다. 아무리 시답잖게 보이는 사람이라도 그 마음속에서 감히 상상할 수 없는 영토 확장이 일어나고 있는 지는 아무도 모를 노릇이지요. 바보온달과 온달장군은 무엇이 다를까요. 보는 눈의 차이지요. 바보 온달에 대한 상투적 시선과, 온달장군에 대한 경이로운 재발견은 분명 다를 수밖에 없지요. 그러나 사실 온달은 둘이 아니고 하나지요.

말만 가지고 사람을 평가하는 것처럼 경솔하고 피상적인 속단은 없습니다. 말이 어눌한 사람들은 많지요. 그러나 그들이 꼭 모자란 것은 아닙니다. 말만 번지르르하면서 실제 행동은 못 미치는 사람보다는 말은 어눌해도 남다른 실천력을 가진 사람이 열백 배나 낫지요.

노자는 "훌륭한 변설은 눌변과 같다."고 했습니다. 모세는 말더듬이었지요. 그러나 하느님은 달변의 아론 대신 눌변의 모세를 택하지요. 그리스의 대표적 웅변가인 데모스테네스도 처음엔 말더듬이였지요. 박식의 대명사인 아리스토텔레스도 말더듬이였다고 합니다. 『한비자』의 저자인 한비도 심한 말더듬이었지요. 그는 혀 대신 붓으로 말했지요. 노벨문학상 수상에 대영제국의 수상을 두 번씩이나 역임한 처칠도 팔삭둥이에 말더듬이였다고 합니다.

오바마도 뛰어난 연설가로 꼽히지요. 그러나 그가 행한 최고의 명연설로는 차마 말문을 열지 못하고 입술을 깨물던 한참 동안의 침묵을 들지요. 에리조나주 총기사건 추모행사장이던가요. 그 '오십일 초의 침묵' 이 미국을 단합시켰다고들 하잖아요.

대개 목사님들은 달변인데 스님들은 눌변인 경우가 많지요. 그렇다고 그분들의 언변만 놓고 일방적으로 우열을 가린다고 생각해 보십시오. 망발에 다름 아니지요. 그런데 우리는 흔히 사람의 얼굴이나 말만 주시하고 마음은 외면하는 경우가 허다하지요. 사람의 감추어진 마음을 온전히 헤아릴 수 있어야 비로소 그 가까이 다가갈 수 있는데도 말이지요.

비평

대부분 정당한 평가보다도 과대평가 받기를 좋아합니다. 남의 평가가 자신의 기대에 못 미치면 정당하지 못한 과소평가라고 화를 내거나 서운해하기 일쑵니다. 그리고 그것은 커다란 마음의 상처로 남습니다. 자칫 병이 되지요. 그런데 그 경우, 놓치기 쉬운 것은 흔히 평가하는 상대를 제대로 보지 않는다는 사실입니다.

"부처는 부처를 보고 중생은 중생만 본다."는 말이 있지요. 남을 제대로 볼 줄 모르는 이들의 평가엔 연연할 필요가 없겠지요. 평가할 자격도 없는 이의 평가는 평가의 가치가 없는 만큼 흘려버리고 훌훌 귀를 씻어야겠지요. 반면, 제대로 볼 줄 아는 이들의 평은 곧 자신을 가다듬게 하는 스승의 충언인 만큼 겸허하고 감사한 마음으로 받아들여야겠지요.

그러기에 함부로 남을 평가할 일은 아닙니다. 평가는 고정된 경우에만 가능합니다. 그러나 사람은 잠시도 가만 있지 못하고 쉴 새 없이 움직이는 변화무상한 생물이지요. 그러니 어디에 점을 찍고 감히 평가의 잣대를 들이댈 수 있겠습니까. 과연 어제의 평가와 오늘의 평가가 한결같은 경우가 얼마나 되던가요. 남의 평가에 연연하지 말고, 남을 평하지 않기만 해도 마음의 평화는 웬만큼 이룰 수 있을 것입니다.

착한 말

어머니는 항상 말에 대해 각별히 이르셨습니다. 한입에서 나오지만 말과 침은 현격히 다르다고요. 침은 뱉어서 버리는 것이지만 말은 살아서 누군가에게로 -세상으로- 퍼져나가는 것이니만큼 침을 뱉듯 함부로 해서는 안 된다는 가르침이셨지요. 삼키기 사나운 침은 그때그때 목구멍이 시키는 대로 하면 되지만, 마음 따라 삼킬 수 있는 말은 소가 여물을 반추하듯 삼키고 되새기고 다듬어서 신중히 해야 하지요. 굳이 둘의 공통점을 찾자면 침도 뱉을 곳을 가려서 뱉어야 하듯 말 역시 때와 장소를 가려서 해야 한다는 점이겠지요. 그런데 침도 함부로 뱉지 않는 법인데 하물며 말을 가리지 않고 침처럼 뱉어 버리는 사람들이 있습니다. 일거에 말을 침보다 못한 불순물로 격하시키는 것이지요. 결국 자신을 침보다 못한 존재로 추락시키는 것입니다.

어머니는 말을 할 때 특히 세 가지를 주의하라고 강조하셨습니다.

첫째, 거짓말을 하지 말라고 하셨지요. 비록 선의의 거짓말일지라도 되도록 삼가라는 당부이셨습니다. 사실과 다른 말을 사실처럼 지껄이는 것 말고도 거짓말은 많지요. 책임질 수 없는 말도 거짓말이지요. 한입으로 두 말하는 것도 거짓말이지요. 행동과 다른 말도 거짓말이지요. 겉과 속이 다른 위선은 가장 질이 나쁜 거짓말이지요. 거짓말은 일차적으로 자신을 속여야만 가능합니다. 그리고 자신의 진면목이자 보루인 양심을 팔아야 하지요. 결과적으로 신뢰사회를 병들게 하는 나쁜 바이러스인 것입니다.

둘째는 말을 꾸미지 말라고 하셨습니다. 쓸데없는 형용사나 부사의 남발, 허풍이나 거품이 낀 억지 과장, 교묘히 본질을 흐리는 우회나 은유, 속보이는 아첨, 속내와는 다른 달콤한 사탕발림 등 사실과는 거리가 먼 '탈을 쓴 말들' 이지요. 자신에 대한 진실을 왜곡하고 사회적 성실을 훼방하는 소통의 낭비인 것이지요. 그레샴의 법칙을 보실까요. 소재의 가치가 서로 다른 화폐가 동일한 명목가치를 가진 화폐로 통용되면, 소재가치가 높은 화폐(Good Money)는 유통시장에서 사라지고 소재가치가 낮은 화폐(Bad Money)만 유통되는 현상을 이르지요. 꾸미는 말 역시 거짓말 못지않게 사회적 양화를 타락시키는 악화인 것입니다.

셋째는 말을 너무 많이 하지 말라고 하셨습니다. 말이 앞서고 말이 많으면 그만큼 실천이 제약을 받는다는 염려이셨지요. 말이 많다보면 논리를 위한 논리처럼 말을 위한 말이 되기 쉽지요. 결국 말의 잔치나 소음의 늪에 빠지게 되지요. 오히려 실천이 그만큼 어려워질 수밖에요. 보실까요. 말 많은 친구보다 말없이 따뜻하게 웃어주는 친구가 훨씬 편하고 반갑지요. 눌변이지만 해야 할 자리에서 할 말만 간단명료하게 하는 친구의 말이 더 잘 들리지요. 고금에 걸쳐서 사실 말 잘하고 말 좋고 말 많은 사람치고 그 말이 행동과 일치하는 경우는 별로 없지요. 말없이 묵묵히 실천함으로써 말을 대신하는 게 최고의 말이지요. 그런데 말은 입을 빌리지만 실은 마음에서 나옵니다. 마음이 진실하고, 알차고, 따뜻해야 요샛말로 착한 말이 나오는 것이지요. 한편 말수를 줄이고, 행동으로 말하고, 수십 번 고르고 걸러서 말하는 것이야말로 마음을 다스리는 최고의 수행입니다.

말수

말은 마음의 화살입니다. 마음과 다른 말일지라도 결국 마음의 일단이지요. 속마음을 들키고 싶지 않은 겉치레를 마음이 입에게 종용했기 때문입니다. 어떻든 제 마음을 전달하는 수단이 곧 말이지요. 말에는 반드시 배후조종자인 마음이 따릅니다. 말은 마음의 아바타인 셈이죠. 따라서 주요한 강연, 회의, 세미나, 보고, 토론, 상담, 인터뷰 등 비중이 큰 자리의 발언엔 마음을 한결 집중하게 됩니다. 가장 많은 시간을 소비하는 일상적 대화에도 상대에 따라 마음의 씀씀이가 달라지지요.

그렇게 '바깥'을 향한 '안'의 전령인 말은 마음을 나타내는 도구입니다. 그런데요. 입이 화근이라는 말이 있지요. 여기에서 입은 곧 말을 가리킵니다. 말은 신중을 기해서 하라는 뜻이지요. 그렇다고 말에 너무 마음을 쓰다보면 마음이 파업을 하는 수가 있지요. 마음도 너무 자주 많이 사용하면 피곤하여 제 기능을 못하게 되는 것입니다. 특히 까다로운 생각을 오래 시키면 마음도 상하게 되지요.

그러기에 말수는 가급적 줄이는 게 좋습니다. 가만 보면 말이 없느니보다 말이 많아서 항상 탈을 부르게 되지요. 과묵한 입은 그만큼 남에게 중량감을 느끼게 해줍니다. 덩달아 신뢰감도 주고요. 때로는 신비롭게 보이기도 하지요. 그러니 되도록 말을 아낄 일입니다. 그러면 자연히 마음도 차분해지고 질서정연해지게 되지요. 수도승들이 묵언정진을 괜히 하는 게 아니겠지요. 흔히 쓰는 "침묵은 금이고 웅변은 은"이라는 격언에도 '과묵의 지혜'가 담겨 있네요. 마음의 절대 경지인 고요한 마음은 말수를 줄이는 데서부터 시작 되는 점을 기억해야 합니다.

투사와 전이

첫사랑은 대부분 미완의 미학이지요. 시들어버린 청춘의 메아리로 살아남아 시들지 않는 꽃의 잔영처럼 청초하고도 아련히 귓전을 맴도는 추억이 그 보상인지도 모릅니다. 그래서일까요. 세월이 흐를 만큼 흘렀는데도 첫사랑과 닮은 사람이 나타나면 자신도 모르게 호감이 가는 경우가 있지요. 어머니를 닮은 경우도 마찬가지이고요. 그것은 곧 첫사랑이나 어머니에게 품고 있던 감정이 새로운 대상에게 옮겨가서 되살아난 것이지요. 한편 보기에 난감하리만치 게거품을 물고 시도 때도 없이 남을 욕하고 비난하는 사람들을 보곤 하지요. 그러나 가만히 들여다보면 오히려 그에게 상대를 욕하는 결점의 상당부분이 잠재해 있는 것을 발견하고 씁쓸한 경우가 있지요. 이를테면 "똥 묻은 개가 겨 묻은 개를 나무라는 격"이랄까요.

심리학 용어로 전자는 '전이' 라고 하고 후자는 '투사' 라고 부르지요. '전이' 와 '투사' 는 대부분 무의식 상태에서 일어나 대상을 외부로 옮긴다는 점에서는 한편이지요. 그러나 '전이' 는 대상에서 대상으로 옮기는 데 비해 '투사' 는 자아에서 대상으로 옮긴다는 점이 다르지요. '전이' 는 타인의 이미지를, '투사' 는 자신의 이미지를 외부 대상에 옮겨 심는 것입니다. 좀 더 부연해 볼까요. '전이' 는 어떤 대상에게로 향했던 감정이 다른 대상으로 옮아가는 것을 이르지요. 반면 '투사' 는 납득하기 힘들고 인정하기 싫은 자기의 결점이나 열등감, 죄책감 따위를 다른 상대에게 돌림으로써 자신은 고통에서 벗어나려는 일련의 비겁한 책임전가이지요. 쉽게 말해 제 마음 편하고자 괜히 제 잘못을 남에게 덧씌우려고 남의 탓을 해대는 경우이지요. 이를테면 타인을 희생 대타로 빌려 자기합리화나 정당화를 꾀하려는 무의식적 방어기제인 것이지요. 어찌 보면 자기기만에 다름 아니지요.

한편 '전이' 의 경우, 과거에 꽁꽁 감추고 표현하지 못했던 감정이나 사고들을 새로운 대상에게 옮겨 붙임으로서 해소할 수 있지요. 긍정적이고 적극적인 인관관계를 개척하는 효과를 노릴 수도 있고요. 문제는 '투사' 의 경우입니다. 심리학에서는 자신의 무의식적 결함을 의식화하면 다시 말해 잠재해 있는 '투사' 의 근거를 제대로 알아채면 뿌리 뽑을 수 있다고들 하는데요. 그렇게 하루 이틀에 끝날 간단한 병이 아니지요.

이 세상에 누구도 완벽한 존재는 없습니다. 그것이 인간의 한계지요. 그렇다면 무슨 염치로 감히 남을 비난할 수 있겠습니까. "남 욕을 하려면 먼저 내 입이 더러워져야 한다."는 말이 있지요? 사실 입보다도 그 마음과 그 인격이 추악해지는 것이지요. 아니, 이미 그 자신이 먼저 추악해져 있는 것이지요. 그런 주제에 남을 욕한다니 얼마나 꼴사납고 우스운 희극입니까. 주제 파악을 해야지요. 그러니 남을 비난하기에 앞서 만에 하나 자신에게 그런 구석이 없는지 냉정하게 되새겨야 하겠지요.

그보다도 상대가 누구든지 욕이나 비난은 일단 삼가는 습관을 길러야지요. 나아가 동병상련의 입장에서 남을 칭찬하고 사랑하는 것이야말로 '투사'의 늪에서 자신을 해방하는 최고의 방책이겠지요. 어느 때보다도 마음의 병이 심각한 현대인에게 있어서 닫힌 마음을 열린 마음으로 전환하는 지각변동이 절실한 때입니다.

동정상선 무아불공(動靜常禪 無我佛供)

요새는 연하장을 구경하기가 힘듭니다. 먼저 제가 보내지 않는 탓도 크지만 세상 풍속이 그만큼 달라진 때문이기도 하겠지요. 대신 새해 벽두부터 함박눈이 하염없이 내립니다. 하늘에서 보낸 연하장인가 봅니다. 그런데 지상에서도 그냥 말 수 없다는 듯이 참으로 귀한 선물을 보내 왔네요. 지인에게서 편액을 받았습니다. 알고 보니 원불교 종법사 신년휘호입니다. "동정상선 무아불공(動靜常禪 無我佛供)"이라고 씌어 있네요. 곧장 벽에 걸어두었지요. 글씨도 깔끔한 명필이지만 내용이 새겨볼수록 좋습니다. 순 한자인데다가 좀 문자스럽긴 해도 혼자 보기 아까워서 이 글의 제목으로 달기로 했습니다.

함께 보실까요. 동정상선(動靜常禪)은 "앉으나 서나, 바쁠 때든 한가할 때든 늘 선(禪)을 하라."는 뜻이지요. 산중에서도 저잣거리에서도 한결같이 마음을 고요하고 바르게 하라는 것입니다. 그러나 번잡한 곳에서 마음을 빼앗기지 않고 바로잡기란 여간 힘든 게 아니지요. 그렇다고 안방에 한가로이 누워서도 마음은 편히 쉬지 못합니다. 갖은 잡념이 쳐들어와 횡설수설 말을 붙이기 때문이지요. "군자는 혼자 있을 때를 조심하라."는 공자의 말씀도 있듯이 선가에서도 그 깊숙한 적막에서조차 마음과의 혈투를 벌이기 일쑤지요. 번뇌 망상과의 싸움입니다. 아니면 멍청히 넋 나가 있는 '무기(無記)'를 경계해야 하고요.

하물며 일반인들은 어떻겠습니까. 한 발자국만 떼려면 당장 사방의 경계와 맞부딪쳐야 하는 도시의 일상 속에서 마음을 온전히 다스리기가 쉬울 수 없지요. 대부분 바깥에 마음을 빼앗긴 채 겨우겨우 거죽만 부여잡고 건성으로 살아가는 것이지요. 이를테면 바람난 여우의 터럭 몇 쥐고 몸통인 양 착각하는 것이지요. 그러니 삶이 오죽하겠습니까.

무아불공(無我佛供)은 그 최선의 해결책입니다. 불공은 절에서만 하는 특별한 것이 아니지요. 누구나 할 수 있는 것이고 아무데서나 대개 자신도 모르게 하는 행위이지요. 보세요. 특정한 사물에 정성을 기울일 때 흔히 공을 들인다고 하지요. 그것이 불공입니다. "공든 탑이 무너지랴."는 속담이 있지요. 탑이 절에 속하는 건축물이긴 해도 여기서 '공'은 건축에 쏟는 공력을 이르지요. 그러니까 일상생활 중에 임하게 되는 사건이나 사물에 마음을 온전히 바치는 것을 불공이라고 일러도 되겠지요.

그런데 제가 선물 받은 휘호에서의 불공은, 불공 중에서도 무아불공입니다. 무아불공은 사적불공이 아니라 공적불공이지요. 그 공이

미치는 대상은 자신이 아니라 이웃이며, 사회이며 곧 우주인 것입니다. 자신을 의식하지 않고 자신의 궁극적 근원인 우주를 향해 드리는 불공은 동정상선이 저절로 이루어지게 하지요. 걸림돌인 자기가 사라진 터에 우주공동체로서의 지극한 일심만 충만하니 그 자리가 곧 선의 진수일 수 있지요. 마음을 가꾸는 데 있어서는 바깥에 사로잡힌 자신이 최대의 적입니다. 반면 이기적인 자신을 잊고 이타적인 우주적 자아에 몰입하는 것은 최고의 마음공부이지요. 비로소 자아의 완성이 이루어지는 것입니다.

동기부여

어릴 적, 엿장수의 가위장단 메아리가 조용한 산골마을을 휘젓곤 했지요. 헌 고무신이나 찌그러진 양은 솥, 녹슬고 무디어져 버려진 낫 등을 엿과 바꾸어 먹는 재미가 여간 아니었지요. 그런데 저는 엿 대신 살림에 필요한 물건들과 바꿔 어머니에게 바쳤습니다. 그러면 어머니는 "오매, 내 새끼가 살림꾼이 다 되었네."하고 칭찬하시며 궁둥이를 두드리거나 뽀뽀를 해 주셨지요. 저는 그 칭찬에 기분이 좋아서 자꾸만 고무줄, 바늘, 옷핀, 비누, 머리핀, 성냥을 들고 어머니 품으로 달려갔습니다.

그 버릇은 어머니에서 가족, 친구, 이웃으로 영역을 넓히며 지금까지도 지속되고 있지요. 남의 기쁨이 곧 내 즐거움의 동기로 작용한 것이지요. 시발은 심리학에서 이야기하는 외재적 동기에서 비롯되었지만 그것이 내재적 동기로 정착된 것이라고 할까요. 어떤 행동이 상이나 벌 등 바깥의 보상에 의해 야기되었다면 그 원인을 외재적 동기라고 하지요. 반면 마음속에서 즐거움과 흥미가 저절로 우러나서 한 행동은 그 원인을 내재적 동기라고 부릅니다. 그런데 내재적 동기에 의해서 발생한 행동이 더 오래 간다고 합니다. 외재적 동기에 의한 행동은 외부의 보상이 없어지면 다시 일어나지 않기 때문이지요.

그럼에도 대부분의 교육이 학생들을 내적으로 스스로 동기화 시키려 들지 않고, 한결 손쉬운 탓에 단순한 보상에 의한 외적동기를 유발하기에 급급하지요. 사람들은 내재적으로 동기화 될 때 더 열심히 일하며, 일을 즐기고 더 창의적일 수 있는데도 말예요. 한편 외적 보상이 내재적 동기를 약화하거나 상실케 하는 경우는 흔하지요. 그러니까 다른 사람을 억지로 동기화시키려 들 게 아니라 사람들이 스스로를 동기화시킬 수 있는 조건들을 심어 주려고 노력하는 게 참 교육이지요.

케네스 토마스는 내재적 동기의 조건으로 다음 네 가지를 들고 있습니다. '1. 자신이 가치 있는 일을 하고 있다는 느낌 2. 그 일을 할 때 자신에게 선택권이 있다는 느낌 3. 그 일을 할 만한 기술과 지식을 갖추고 있다는 느낌 4. 실제로 진보하고 있다는 느낌' 을 받았을 때, 내재적 동기부여가 이루어진다는 것이지요.

마음은 동기의 산실이자 처소입니다. 수시로, 그리고 지속적으로 마음을 다독여 내재적 동기를 일구어야지요. 더불어서 외재적 동기를 내재적 동기로 안착시키는 것도 잊지 말아야합니다. 둘러보면 사방에 동기부여를 기다리는 사물들로 널려 있지요. 마음속도 마찬가지고요.

몸

한중망(閑中忙)

중독된 듯 산을 좇다가 이윽고 산속에 둥지를 튼 지도 두 해가 지났습니다. 더러는 산중에 터 잡고 사니 시는 저절로 써질 게 아니냐고 부러워합니다. 그러나 산에 아주 눌러 살다보면 자칫 시적 긴장을 놓치기 일쑤지요. 아무리 적막강산이라도 흐트러진 마음을 다잡고 마음결을 살곱게 빗질해야만 산뜻한 시를 낳을 수 있으니까요.

자연과의 안일한 조응은 자칫 긴장의 벼릿줄을 놓치고 치열한 화두를 저버린 선가의 무기(無記)와 같은 해이(解弛)에 쉽사리 빠지게 하지요. 하여 세상과 동떨어진 시, 속세를 등지고 깨달음을 구한 체하는 시, 맹목적 화해의 시, 타성적 잠언시 등을 낳곤 하지요. 그것은 버리듯 등지고 온 바깥세상에 대한 결례로 두 번의 배반인 셈입니다. 밖으로는 사회적 결사(結社)를, 안으로는 영혼의 깃을 바짝 세우는 긴장은 시에 있어서 긴요한 에너지이며 조건이지요.

"군자는 혼자 있을 때를 삼간다."는 공자의 노파심이 한결 절실한 곳이 산중이지요. 따라서 수도승이 화두의 상투를 바짝 쥐듯 대자연과의 내밀한 혼융을 치열하게 노래해야 하는 것입니다. 거기에 저만치 두고 홀연히 떠나온 세상을 향한 채무자로서의 간곡한 기도가 얹어져야 하겠지요.

산중에서의 생활이라는 것이 그리 호락호락하지 않습니다. 자연과의 말을 트기 전까지는 사방에 위험이 도사리고 있는 곳이 산중이지요. 자연의 언어는 생명체 본연의 초심이자 우주의 본심이지요. 하찮은 미물과도 공동운명체적 질서의식을 기꺼이 나누어야 하지요. 겸허하고도 허심탄회하게 자신을 자연에 편입시키되 진정한 자연인으로서의 자신을 되찾아 누리는 이중 구조적 자기관리가 새로운 과제로 등장하지요.

그중에서도 마음관리는 고난도의 치밀성을 요구합니다. 안일과 평화를 구분하기가 쉽지 않지요. 자유와 자율의 경계도 모호하지요. 자연스러운 충만감과 의식적 자족(自足)은 분명 경우가 다르지요. 경쟁일변도적 긴장을 담보로 하던 저잣거리에서의 구태(舊態)를 놓아버린 휴식이 과연 출세간의 진정한 초연함인지 늘 반조해 보아야 하는 것이지요.

저잣거리에서의 휴식이 망중한(忙中閑)이었다면 산중에서는 한중망(閑中忙)이 제대로 이루어지는지 살펴야지요. 산만이나 잡념 속의 강요된 집중(저잣거리의)에서 해방된 마음이 '무의식적 산만'에 흐르지 않는지 고도의 검증이 필요한 것이지요. 이래저래 어디에서나 만

넌 한가할 수만은 없는 것이 동(動)과 정(靜)을 아울러야하는 생명체의 속성이자 숙명인가 봅니다.

과로

스트레스를 많이 받는 직업에 종사하는 여성들이 그렇지 않은 여성들에 비해 심장 관련 질병에 걸릴 위험이 훨씬 높다고 합니다. 마이클 알버트 교수를 비롯한 하버드 의대 팀은 다음과 같은 연구 결과를 밝혔지요. 업무가 과중하고 권한이 없으면서 창조적인 일에 종사하는 여성들은 단순 업무에 종사하는 여성들에 비해 심장병 발병 확률이 80%나 높았다고요. 또 심장혈관질환에 걸릴 확률도 40%나 더 높고요. 그러고 보면 창조라는 어휘가 썩 좋은 것만은 아니군요. 다소 무료할지라도 단순한 정신노동이 건강에 더 이롭다는 해석도 가능하네요.

창조가 주특기인 천재들을 보실까요. 특혜라도 받은 듯 하나같이 비상한 상상력의 소유자들입니다. 감히 생각지도 못하고 엄두도 못 내던 복잡하고 난해하고 껄끄러운 문제를 붙들고 초각을 다투며 피를 말리는 게 그들의 일과이지요. 그러나 머리를 지나치게 혹사한 대가는 천재라는 영예에 비해 훨씬 심각하다는 사실을 흔히 잊고 맙니다. 대부분 특출한 천재는 일반인에 비해 정신건강이 정상적이지 못한 경우가 많지요. 결국은 머리가 좋은 것이 머리를 망치는 셈이 되고 마는 것이지요.

모처럼 동서양 언어가 완벽하게 일치하는 게 과로입니다. 한자로 과로(過勞)는 노동의 범주를 넘어버렸다는 경고를 담고 있지요. 영어 overwork도 내내 같은 뜻을 지니고 있지요. 과로가 건강에 해롭다는 것은 너무도 식상한 상식입니다. 특히 정신적 과로는 더하지요. 자칫 파멸을 부를 수 있지요. 하룻밤 머리를 싸매고 씨름했더니 머리가 하얗게 셌다는 고사가 있지요. 아예 너무 머리를 부려먹어서 머리카락이 통째로 빠지는 경우도 생기지요. 시키지 않아도 저절로 이루어진 자동 삭발이지요. 그러나 머리라는 주어에 비추어 탈모는 능동태가 아니라 볼품없는 피동태인 것이 문제지요. 번뇌를 끊기 위해 삭발을 하는 경우와, 번뇌를 끓이다 삭발이 되는 경우는 정반대로 분명 격이 다릅니다.

창조는 새로운 무엇을 만드는 것이지요. 그러나 신의 첫 완성품인 자연의 입장에서 볼 때는 그 어떤 창조도 기껏 부질없는 모래성 쌓기에 지나지 않지요. 그렇지 않아도 복잡한 머리만 더욱 복잡하게 만드는 사족이나 계륵이기 쉽지요. 돌이켜보면 창조라는 단어는 신에게만 허용되는 금기이지요. 천지창조는 신이 이미 써 먹은 카드로 모두가 태초에 이루어진 것이거나 그 연장이기 때문입니다. 그러기에 하늘 아래 새로운 것은 없다고도 했지요. 아무리 획기적인 발명도 굳이 이름붙이자면 창조가 아니라 퍼즐 맞추기처럼 이것저것 섞어서 잠시 빌려 쓰는 '이용'이라야 맞지요. 그것을 창조로 착각하고 건강에 좀이 스는 줄도 모르고 머리에 쥐가 나도록 쥐어짜는 것은 정신노동이 아니라 정신노역이지요.

머리를 쓰는 것은 곧 마음을 쓰는 것입니다. 그러나 마음은 부리는 게 아니라 모시는 것입니다. 괜히 시키지도 않은 일에 너무 마음을 부려먹다가 급기야는 멀쩡한 건강을 잃는 어리석은 벌은 피해야겠습니다. 도가의 신화적 존재인 손진인도 『양생명』에서 "생각이 많으면 정신을 상한다."고 했지요. 육체적 과로 못지않게 정신적 과로도 삼가야 합니다. 머리는 너무 놀리면 잡초 무성한 묵정밭이 되지만 너무 부리면 풀 한 포기 없이 황폐한 황무지가 되고 맙니다.

근검

먼지처럼 가까운 이웃도 없습니다. 책장, 컴퓨터 자판기, 벽시계, 전화기와 세탁기 위에도 하루만 놔두면 기다렸다는 듯 어디선가 찾아와 수북합니다. 새 옷장에서 갓 꺼내 입은 겨울 점퍼에도 벌써 둥지를 틀고 있네요. 갓 세탁한 빨래에도 먼지는 어김없이 눌러앉아 좌선 중입니다. 앉거나 서거나 걸어갈 때도 먼지는 옷이건 몸이건 심지어 폐부까지 전 방위적으로 구애를 합니다. 알고 보면 달콤한 키스조차도 실은 서로의 먼지를 교환하는 이른 바 먼지의 세례식이지요. 신문을 보며 침 튀기거나 질근질근 깨물어대는 입술도 먼지의 안락의자이듯이 산다는 것은 어쩌면 먼지와의 동거인 것만 같습니다. 참 끈질긴 생명력입니다.

먼지가 제일 좋아하는 곳은 거지의 누더기입니다. 옷을 너무 함부로 다루기 때문이지요. 너무 오래 빨지 않기 때문이지요. 그러나 빨아 입은 스님의 납의는 먼지가 가장 두려워하지요. 누비옷이 있지요. 누비는 두 겹의 옷감 사이에 솜을 넣고 줄줄이 홈질하는 바느질을 이르지요. 옷감의 보강과 보온을 위한 것으로 몽골의 고비사막 일대에서 시작되었다고 합니다. 예전엔 치마, 저고리, 포, 바지, 신발, 버선, 띠와 이불 등에 누비가 쓰였지요. 그냥 솜옷은 입을수록 옷감 안에서 솜이 뭉쳐버리므로 구획정리를 하듯 촘촘히 누비는 것이지요. 원래 '누비'란 말은 무소유를 지향하는 스님들이 넝마의 헝겊 조각을 누덕누덕 기워 옷을 만든 데서 유래했다고 합니다. 장삼납의의 준말인 납의가 누비로 발음된 것이지요.

그런데요. 화려한 차림을 욕하면 몰라도 스님의 깨끗한 납의를 욕하는 경우는 아직 보지 못했습니다. 최고의 단벌신사는 납의를 걸친 스님이지요. 굳이 이 옷 저 옷 고를 필요가 없으니 얼마나 간편하며 시간은 또 얼마나 절약될까요. 겉이 거칠 것 없이 깨끗하니 그 속의 마음도 덩달아 깨끗하기 쉽겠지요. 사실 스님에게 납의는 수행의 일환이지요.

근검은 스님뿐 아니라 세속에서도 아름답고 귀한 인격 관리의 요체이지요. 근검이야말로 먼지를 물리치는 최고의 무기이지요. 열 벌의 옷에 두루 먼지를 덧씌울 게 아니라 한두 벌의 옷을 자주 빨아서 갈아입는 것이 먼지와 멀어지는 가장 손쉬운 길이지요. 외양이 단순소박할수록 마음은 충만하고 평화롭고 깨끗해지기 마련인 것입니다.

몸

"건강한 몸에 건강한 마음이 깃든다."는 속담이 있지요. 마음 못지 않게 몸도 중요한 것이지요. 손톱 끝에 비접만 들어도 덩달아 마음까지 여간 불편한 게 아니니까요. 몸은 마음의 그릇입니다. 마음은 흐르는 물과 같은데 그릇이 없이 어찌 마음을 담을 수 있겠어요. 그러기에 마음을 온전히 하기 위해서는 몸을 잘 모셔야 합니다. 옛날엔 임금이 주인이었지만 요즈음은 국민이 주인이어서 아무리 고관대작도 그 공복이라고 부르듯이 말예요. 나라를 몸에 비유할 때 그 손발에 해당되는 국민의 마음은 사실 천심에 다름없으니까요.

눈을 잘 모시면 세상을 밝고 맑게 잘 볼 수 있지요. 입을 잘 모시면 마음속이 알찰뿐더러 화근을 덜 수 있고요. 귀를 잘 모시면 아무리 거슬리는 말도 적당히 걸러서 전해 주기에 마음이 편하지요. 몸과 맘의 합작이 곧 건강의 비결이지요. 걸핏하면 겉돌곤 하는 몸과 맘이 따로 놀지 않게 하나의 낱말로 묶어 보았습니다. '뫔' 이라고요. 온전한 '뫔' 이 곧 제대로 된 자신인 것입니다.

본능

산채에서 개를 키우는데요. 애당초 사람의 천국은 힘든 세상, 개들의 천국이나 만들겠다고 큰 소리 쳤지만 쉽지 않습니다. 풀어 키우다 보니 틈만 나면 밖으로 줄행랑을 칩니다. 자유의 영역이 확대되는 것은 좋지만 함정이 도처에 널려 있으니 난감할 수밖에요. 자칫 이웃마을의 농작물을 휘젓기 일쑤고, 행여 농약이라도 마시지 않을까 노심초사케 하던 차에 두 마리가 며칠 사이로 올무에 걸려서 닷새 만, 사흘 만에 겨우 돌아오기도 했지요.

그런데 암컷이 발정을 시작했습니다. 할 수 없이 천국을 유보하고 암컷만이라도 가둘 수밖에요. 그러자 두 수컷이 그 주위를 맴돌며 아예 밖에는 나갈 생각을 않습니다. 자석치고는 최고의 성능이네요. 단순한 생리적 본능이어서 그럴까요. 종족보존의 간절한 의무를 다하려는 생명미학일까요. 하긴 동물 중의 하나인 사람도 마찬가지지요. 탈

무드에 "연애 중인 딸을 집에 가두어 두는 것은 백 마리의 벼룩을 울안에 넣기보다 힘들다."는 구절이 있습니다. 우리나라만 해도 낙랑공주는 호동왕자에 반해 나라와 아버지까지 버렸지요. 심심하면 어우동 부류의 화젯거리가 터지곤 했지요.

사랑은 무섭습니다. 특히 못 말리는 본능의 사주를 받은 사랑일수록 무섭습니다. 남녀 간의 사랑이 그렇지요. 카레이서의 질주본능에 비할까요. 사랑의 대상을 향해 질주하려는 본능은 광속에 비할 바가 아니지요. 일반적 사랑에 종족보존의 본능이 합세한 탓일까요. 대부분 눈을 멀게 하지요. 귀도 닫게 하고요. 감정에 사로잡힌 이성이 도무지 쪽을 못 쓰는 것이지요. 몸도 마음도 불덩어리가 되지요.

본능은 크게 '개체유지 본능'과 '종족유지 본능'으로 나누지요. 구체적으로는 섭식·모성·생식·방어·귀소 본능 등으로 세분하기도 하는데요. 본능과 감정은 불가분의 관계이지요. 한편 감정은 아직 본능과 분리되지 않은 마음이라면 이성은 본능의 한계와 허상을 깨치고 비로소 제 분수를 찾은 마음이지요. 그런데 본능은 걸핏하면 감정을 부추겨 이성에 반기를 들기 일쑤지요. 감정이 주관적이라면 이성은 객관적이지요. 주관을 떨치고 객관적 기준에 이를 때 사회적 존재의 자격이 주어지지요. 그것이 곧 인격이지요. 그렇다고 본능을 무시할 수만은 없지요. 본능은 생명의 자가발전 현상이자 기초에너지이니까요.

결국 마음의 평화는 이성과 본능의 모양새 좋은 조화에 달려 있습니다. 그러기 위해서는 우선 본능과 결탁한 감정의 눈과 귀를 열어 마음의 폐쇄와 왜곡을 틔워줄 신선한 바깥바람이 필요합니다. 이성의 사막과 감정의 늪을 경계하는 중용의 지혜는 늘 신선한 마음 밭을 가꾸는 자가 호흡에서 비롯되기 때문이지요.

손질

'감정'은 우리 마음속에서 가장 복잡 미묘한 것이지요. 그러면서도 일만 생기면 곧장 달려 나가 온갖 참견을 다하지요. 여기에서 '일'이란 우리 안의 마음이 바깥 사물과 접촉하는 것을 이릅니다. 마음속이 평온한 경우는 마음의 파도와 같은 감정이 모처럼 자거나 쉬고 있는 때이지요. 이를테면 마음이 바깥과의 접촉을 삼간 채 한숨 돌리고 있는 순간이지요. 그러나 그 잔잔한 호수의 평화도 잠시이고 이내 감정은 벌떡벌떡 일어나 간지러운 발길을 재촉하지요.

보통 감정의 변화무쌍한 안색을 희로애락으로 그립니다. 그런데 원래는 희(喜)·노(怒)·애(哀)·구(懼)·애(愛)·오(惡)·욕(欲)으로 칠 등분하였지요. 소위 '사단 칠정'이라고 할 때의 '칠정'입니다. 『예기』에서 그렇게 다루었지요. 그것을 『중용』에서 압축한 것이 우리 입에 자주 오르내리는 희로애락이지요. 칠 등분할 때는 우리 입맛에 맞는 것이

셋뿐이고 싫은 것이 넷이어서 불공평했는데 사등분 하니 반반이 되었습니다. 역시 『중용』에서 이름값 하느라고 중용을 이루었네요.

그러면 간단하게 귀에 익은 희로애락(喜怒哀樂)만 살펴볼까요. 감정의 발자국을 그릴 때 우리는 늘 몸을 들먹거리곤 하지요. 기쁠 경우, 우리는 "입이 째진다."고 하지요. 분노할 경우는 "화가 머리끝까지 치민다."고 하고요. 슬픈 경우 "가슴이 찢어진다."고 하지요. 즐거운 경우엔 "온몸이 날아갈 것 같다."고 하고요. 하나같이 입, 머리, 가슴, 몸이 동원 되었지요. 마음을 표현하는데 몸을 빌린 것입니다. 그만큼 몸과 마음은 불가분의 관계라는 증명인 셈이지요.

그런데 째진다느니, 치민다느니, 찢어진다느니, 날아간다느니 등 표현들이 좀 거치네요. 그러나 그것은 입 잘못이 아닙니다. 미처 정제의 과정을 거치지 못한 감정의 모습은 거칠기 마련이지요. 아무래도 좀 다듬어져야겠지요? 그렇다고 감정의 기를 너무 죽여 아예 걷지도 못하게 해서는 큰일이지요. 그것을 적당히 손질하는 것이 마음의 정원을 가꾸는 정원사의 할 일이지요. 우리는 마음속에 솜씨 좋은 정원사를 모셔야 합니다. 가위 소리가 들리지 않으면서도 감정의 나무들을 단정하고 아름답고 싱싱하게 다듬고 키워 나가는 정원사를 말이지요.

수승화강

"마음속에 욕심이 생기면 물이 고인다. 보아라, 진수성찬을 생각하면 입안에 침이 생기고 어여쁜 여자를 생각하면 음근(陰根)에 물이 고이지 않느냐."고 한 부처의 말씀이 있지요. 진수성찬이나 성욕이나 불교와는 거리가 멀지요. 금기의 대상들입니다. 헌데 세상 냄새 곤한 것들을 빌려 욕심을 경계한 비유가 기막히지요. 하긴 세속의 욕심을 논하는 경우라 세상의 유혹들을 예로 들었겠지요. 참, 왕자 시절 출가를 막으려는 부왕의 노심초사가 심했지요. 그 탓에 맘에도 없는 호사를 한 경험이 그렇게 녹진한 비유를 구사하게 했을 수도 있겠네요.

그런데 만약에 그 물이 장애물에 막혀 순화되지 않을 때는 걷잡을 수 없는 불길이 위로 솟아오르게 되지요. 흔히 울화가 치솟는다고 하지요. 가슴은 터질 듯 답답하지요. 소화도 안 되지요. 우울하고, 자신도 모르게 벌컥벌컥 화를 내게 되지요. 빠개질 것 같은 두통이 따릅니다. 뇌세포가 제대로 작동될 리 없습니다. 자칫 화(火)가 화(禍)로 돌변하기 십상이지요.

그럴 경우 수승화강(水昇火降)이라는 처방이 있습니다. 한방에서 머리는 차게 하고 발은 따뜻이 하는 두한족열(頭寒足熱)의 치료법과 한통속이지요. 차가운 성질인 신장의 물 기운은 위로 올라가 머리를 식히고, 뜨거운 성질인 심장의 불기운은 아래로 내려가 배와 손발을 따뜻하게 하는 것이지요.

그런데 수승화강은 한방뿐 아니라 선가에서도 번뇌 망상을 끊는 방법으로 밥 먹듯이 두고 쓰는 용어지요. 우리들도 흔히 복잡한 일로 골치가 아플 때의 처방으로 머리를 식힌다고 하지요. 그렇다고 머리에 물을 끼얹는 건 아니지요. 욕심의 파편인 잡다한 생각을 끊고 마음을 고요히 쉬게 해주는 것이지요. 한참을 그러다가 머리가 시원하게 맑아지면 세상 이치가 저절로 다가와 실체를 드러내 주지요.

안일

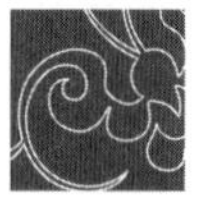

『정관정요』에 당태종이 중신들에게 창업과 수성 중 어떤 것이 더 어려운가 묻는 대목이 있지요. 방현령은 당연히 창업이 어렵다고 하지요. 그러나 위징은 반대 의견을 내놓습니다. "예부터 임금의 자리는 간난(艱難) 속에서 어렵게 얻어 안일 속에서 쉽게 잃는 법입니다. 그만큼 수성이 어렵습니다."라고요. 관중 역시 환공에게 새삼 안일에 대한 각성을 주문합니다. 안일은 독이라고요. 시경에도 "하늘의 노여움을 공경하며 감히 안일하지 말라."는 시가 있지요. 성경(사무엘 하 11:1-27)에도 이를테면 수성에 태만했던 다윗의 죄와 타락상이 잘 드러나 있지요. 특히 잠언에는 안일을 경계하는 구절이 많지요. "문짝이 돌쩌귀를 따라서 도는 것같이 게으른 자는 침상에서 구르느니라(잠 26:14).", "게으른 자의 길은 가시 울타리 같으나, 정직한 자의 길은 대로니라(잠15:19)." 등이요. "너는 잠자기를 좋아하지 말라. 네가 빈

궁하게 될까 두려우니라. 네 눈을 뜨라. 그리하면 양식이 족하리라(잠 20:13)."도 있네요. 그 뿐 아니지요. 일찍이 베이컨은 "태만은 모든 악의 근원이다."라고 했고 해즐리트는 "태만은 온갖 불행의 근원이다."라고 했지요.

안일은 게으름뿐만 아니라 게으름과 교만의 합작일 경우가 많습니다. 게으름이 교만을 부추겨 애써 이루어놓은 것을 어이없게 까먹도록 유혹하는 것이지요. 맘먹고 시작한 길을 자꾸만 딴 길로 새게 가로막는 것이지요. 고금을 통해, 자기관리에 소홀했던 영웅이나 챔피언들의 비참한 추락을 얼마나 숱하게 목격해야 했던가요.

선가에서도 잡념 못지않게 무기(無記)를 경계하지요. 무기란 치열하게 화두를 붙들고 씨름해야 할 마당에 한낱 미망의 신기루일 뿐인 안일의 늪에 빠져 마음의 벼릿줄을 놓아버리는 것이니까요. 이를테면 수행이랍시고 푹신한 소파에 누워 그저 하릴없이 눈만 감고 있는 것이나 다름없는 게 무기의 실상이지요. 겉으로는 담담하고 편안한 것 같지만 무기는 생각하는 힘을 약화시켜 바른 지혜가 생겨나는 것을 방해하지요. 무기가 많아지면 매사 의욕이 없고 행동도 무거워지고 설사 행동으로 옮겨도 쉽게 포기하고 좌절하게 됩니다. 참담한 타락이지요. 오죽하면 무기에서 벗어나지 못하는 수행자는 미물이나 축생의 과보를 받는다고 했겠습니까.

비단 게으름을 피우는 것만이 안일이 아닙니다. 알렉산더대왕을 당황하게 한 통속의 디오게네스는 겉으로는 게으른 것 같았지만 안일하지는 않았지요. 통속에 누워서도 끊임없이 사리를 구하고 지혜를 연마한 터이니까요. 하지 말아야 할 일에는 부산을 떨면서도 정작 해야 할 일에는 소홀한 것도 안일입니다. 입맛에 당기는 단것은 기를 쓰고 밝히면서도 입에 쓴 약은 멀리하는 것도 안일입니다. 몸은 절간에 있는데 마음은 뽕밭에 가 있는 것도 안일입니다.

필요가 불필요의 뒷전으로 밀려나 점점 무기력의 포로로 전락하게 방치하거나 심지어 조장하는 것이 안일이라는 병의 증상이지요. 일련의 자기 파괴이지요. 자포자기의 지름길이구요.

아무리 단단한 성벽도 작은 개미구멍 하나를 눈 감는 안일 탓에 무너지고 말지요. 어떤 도둑이나 질병보다도 무서워해야 할 마음의 바이러스가 안일입니다. 안일에 빠진 마음만큼 자신을 망치는 해악은 없습니다.

절제

『업보차별경』을 보면 중생이 건강한 몸으로 태어나는 은혜의 동인으로 열 가지 선업을 들고 있습니다. 요샛말로 풀이하자면 '1. 때리지 않는 것 2. 다른 사람에게도 때리지 않도록 권하는 것 3. 때리지 않는 법을 찬성하는 것 4. 때리지 않는 것을 보고 기뻐하는 것 5. 자기 부모나 모든 병자에게 공양을 잘하는 것 6. 성현의 병을 지성으로 간호하는 것 7. 원수의 병이 나았다는 말을 듣고 기뻐하는 것 8. 병으로 고생하는 이를 보고 좋은 약을 주며 타인에게도 이를 권하는 것 9. 병으로 고통 받는 이웃을 보고 안타깝게 생각하는 것 10. 음식을 절도에 맞게 먹는 것' 입니다.

스승이 사랑의 매를 들어도 맞장 뜨거나 고소, 고발을 하는 등 남을 때리기가 쉽지 않은 세상에 때린다는 구절이 너무 잦아 좀 우습지요. 그러나 때린다는 것이 꼭 내놓고 하는 폭행만을 이르는 게 아니지요. 비난, 모함, 멸시, 증오 등 간접적이거나 잠재적 폭력의 경우는 오히려 예전보다 더 심각하니까요. 모두가 마음이 짓는 폭력이지요. 드러나든 숨었든 작든 크든 간에 폭력은 마땅히 근절되어야합니다. 세상의 건강을 해치는 원흉이니까요. 그 외의 구절들도 내내 너와 나를 넘어 세상을 함께 이루어가는 동업자의 준칙이네요.

곰곰이 생각해보면 세상의 건강이 내 건강의 비결이자 척도가 됩니다. 그런데 마지막 구절이 눈에 띄지요. 음식을 절도 있게 먹는 것! 과식이 건강에 얼마나 해로운가는 오래전에도 숙제였나 보지요. 그뿐 아니지요. 과식은 제 몫을 넘는 것이니 함부로 남의 몫을 건드리지 말라는 메시지도 담겨 있지요. "지나친 것은 모자람만 못하다."는 속담이 여기서도 한몫 하네요. 식사만 알맞게 가려서 해도 건강의 태반은 보장된 셈이니까요.

요즈음처럼 갖가지 먹을거리가 유혹하는 먹자판 속에서 일정한 식습관을 통해 익히는 절제는, 건강은 물론 마음공부의 일차적 과제이기도 합니다. 식욕이 본능이라면 절제는 이성이지요. 식욕이 몸의 짓이라면 절제는 의지의 작용이고요.

이때야말로 마음이 주인 노릇을 제대로 할 시점입니다. 그리하여 금생도 건강을 누리고 내생에도 건강하게 태어나는 이중특혜를 기약해야겠지요. 반면에 이와 반대되는 죄를 범했을 때는 당연히 다병(多病)의 업보를 받는다는 사실도 명심해야겠지요. 물론 인과의 법칙을 진리로 수긍하는 경우에만 해당되겠지만요.

첫걸음

"풍요 속의 빈곤"이란 이상야릇한 시사상식이 귀에 익은 지도 한참이나 되었습니다. 그런데 여전히 그 반사회적 역설은 계속되고 있지요. 오히려 더 심화되고 있지요. 더구나 그것이 "국민의, 국민에 의한, 국민을 위한" 최선의 제도라는 민주주의의 실상이자 현주소이니 기가 막힐 노릇입니다.

정상적 인간들의 사고방식이라면 풍요 속의 빈곤이란 논리는 성립될 수 없지요. 최소한 유치원 수준의 더하기 빼기만 할 줄 안다고 해도 말이지요. 아무리 금은보화가 그득해도 보따리가 무거우면 길이 수고롭지요. 그럴 때 최선은 보따리가 가벼운 주위와 그것을 나누는 것인데요. 동물과 달리 이성과 양심을 그 특성으로 하는 인류사회에서 재물은 마땅히 그렇게 다루어져야 하지요.

예수와 석가, 그리고 그 초기 제자들은 물질적으로는 가난해도 마음은 풍요로웠지요. 그러기에 마음의 풍요가 물질의 가난을 해방해 주었지요. 그런데 지금은 어떤가요. 그분들의 무수한 후예들은 물질은 풍요로운데 마음이 가난하지요. 걸핏하면 마음이 수고롭다고 난리들이지요. 물질의 풍요가 마음의 가난을 부채질하며 자신도 모르게 본연의 인간성을 타락시키고 구속하는 것이지요.

그런데요. 아직도 이 땅엔 물질의 가난에 시달리는 사람들이 많지요. 산업화의 일시적 착시에 의해 빚어진 상대적 박탈감은 배부른 사치이지요. 사라진 지 오랜 질병처럼 부활한 난감한 엥겔지수가 말하듯 절대적 가난의 절망을 앓는 이웃들이 사회안전망 저변을 배회하며 무섭게 위협하고 있습니다. 단지 가난 때문에 단란했던 가정이 파괴되고, 자살을 하고, 범죄의 구렁텅이에 빠지는 경우가 부지기수입니다. 정부가 발표한 국부의 규모만으로는 도무지 있을 수도 없고 이해가 안 가는 엄살이며 헛소문만 같은데요. 기가 막히게도 입도선매 같은 선진국 타령과, 겉만 화려한 국가 경제수치가 늘어날수록 절망의 행렬들도 덩달아 불어나니 문제이지요.

농경사회의 가난에 비해 산업사회의 가난은 몇 배나 가혹합니다. 그리고 현대 문명의 기표인 신유목사회의 가난은 더욱 잔혹한 가난이지요. 누구 하나 뒤도 안 돌아보고 달려가 버리는, 아니 뒤돌아볼 잠시의 틈조차 허락되지 않는 고속도로 위의 가난이자 무인도의 가난이지요.

한편 양극화의 꼭지점을 누리는 부자들도 가난하기는 마찬가지입니다. 황금의 바벨탑이 하늘을 찌를수록 마음은 그 역으로 가난해지기 때문이지요. 그러니까 양심의 공동화 현상인 마음의 가난, 다시 말해 "부자가 천국에 가기란 낙타가 바늘구멍 뚫기보다 더 어려운" 그 험준한 길에서 알게 모르게 눈 감고 귀 막고 아득히 멀어져만 가는 마음의 가난은 "마음이 가난한 자는 복이 있"다는 그 가난이 아니라 반대의 경우지요. 심각한 도덕적 불감증입니다. 영혼의 중병이지요. 그들이 진정 물질의 풍요에 발맞춰 마음까지 풍요롭다면 주위의 가난은 봄눈 녹듯이 사라지고 말 터인데 말이지요.

현대사회를 무한경쟁의 시대라고 합니다. 무한경쟁은 전쟁 중에서도 가장 고약한 전쟁이지요. 아무리 치열한 전쟁도 휴전이나 종전이 있기 마련이지만 이놈의 전쟁은 도대체 쉴 수도 없고 끝나지도 않으니까요. 이미 도를 넘은 지 오래인 약육강식이 자유경쟁이라는 허울 좋은 신자유주의적 강자의 편법에 의해 계속되고 있는 것이지요. 이미 토착기업의 한계를 지나 글로벌 기업군으로 고속 성장한 경제인은 이제 한국인보다 '다국적인'이라고 불러주어야 맞지요. 그리고 웬만한 부자들은 다투어 그 다국적인의 우산 속으로 편입되기 위해 자신을 비롯한 주변에 혹심한 채찍을 가하지요. 어쩌면 죽은 신의 심술만 같은 양극화는 정복자의 주구세력과 식민지 백성의 일방적 종속관계에 다름 아닌 다국적인의 풍요와 토착인의 가난이 그리는 미증유의 반민족적 풍속도인 것이지요. 그것이 허울 좋은 고도성장의 초상화인 것을 생각하면 아찔하기만 합니다.

그러나 다국적인들이라고 꼭 좋을 턱만은 없지요. 어찌 보면 그들도 피해자지요. 그들 역시 세계화라는 못 말리는 악동이 쏘아버린 나쁜 화살이지요. 멈추고 싶어도 혼자서는 멈출 수 없는 외길, 숨 막히는 피곤의 행진에서 뒤처져 양극화의 '꼭지점 온실' 밖으로 밀려나지나 않을까 전전긍긍하는 강박관념의 포로들, 배부를수록 헛배가 고픈 그 탐욕의 걸신들은 허구에의 질주를 위해 서로의 마차에 다투어 채찍을 가하기에 여념이 없지요.

그러니까 결국 현대사회의 전투는 승자나 패자나 그 물질과 마음의 경계만 다를 뿐 모두가 가난의 덫에 빠질 수밖에 없는 자승자박의 몸부림인 것이지요. 어떻게 하면 저 고장 난 브레이크를 멈추게 할 수 있을까요. 가난한 자들이나 부자나 심신의 풍요를 동시에 이룰 수는 없을까요. 차면 기우는 법. 나눌수록 풍요로워지는 인정을 나눌 줄 모르는 부자의 마음 가난과, 돈이 없어서 이웃과 점심 한 끼 제대로 나누지 못하는 이들의 물질적 가난이 마침내 '형제의 가난'이라는 공통분모를 깨치고 새삼스러운 동병상련을 꾀하게 되길 바라야지요. 만약에 그렇지 못하면 결국 두 극단은 양극화라는 시한폭탄에 의해 모처럼 공평하게 참담한 공멸에 이르고 말테니까요.

바깥(물질)에 쏟는 반만큼의 정성과 노력만이라도 안(마음)에 쏟는다면 세상은 몰라보게 행복하고 평화로운 천국에 이를 텐데요. 정치도, 학문도, 예술도, 종교조차도 그렇지 못하니 두렵고 속상할 수밖에요.

이럴수록 남의 눈치 볼 것 없이 혼자만이라도 뚜벅뚜벅 제 길을 가야겠습니다. 앞에도 그런 분들이 많았듯이 더 많은 분들이 뒤따라오리라고 믿으면서 말이지요. 설사 좀처럼 안 보인다고 할지라도 흔들리지 말고 기왕 시작한 길을 가야합니다. 그 길에는 마음이라는 무한의 영토와 말벗이 함께하기 때문입니다. 우리에겐 아직도 마음이라는 천록이 있음을 기억해야 합니다. '천상천하 유아독존'은 곧 세상이 나아갈 길을 떳떳하고 즐겁게 나부터 내딛는 그 첫 걸음을 이르는 주문이자 기도문인 것입니다.

최선의 기술

한국과학기술기획평가원은 10년 후, 경제적 파급효과가 클 것으로 예상되는 10대 미래유망기술을 발표했습니다. 암 바이오마커 분석, 실시간 음성자동통역, 스핀트랜지스터. 미생물연료전지(MFC), 슈퍼독감백신, 초전도 송전, 디지털 홀로그래피, 바이오 플라스틱, 4G플러스 이동통신, 친환경 천연물 농약 등을 생산, 보급하는 기술이지요.

간단한 주석을 들여다보실까요. 암 바이오마커는 맞춤형 치료를 통해 암 사망률을 크게 낮출 수 있다고 하네요. 실시간 음성자동통역 기술은 음성인식과 자동번역 기술을 결합, 실시간 통역이 가능한 기술이고요. 스핀트랜지스터는 전자의 특성인 전하와 스핀을 동시에 이용하여 부팅 없이 바로 켜지는 컴퓨터, 배터리 소모가 거의 없는 노트북 컴퓨터 등을 생산하는 것이지요. 미생물연료전지는 하수나 폐수, 폐기물 등에 들어있는 오염물질을 전기로 변환하는 기능을 갖고 있는 미생물을 연료전지 내에 주입함으로써 폐기물 처리와 에너지 생산이라는 일거양득의 효과를 노리는 것이고요. 슈퍼독감백신은 한번 맞으면 주요한 독감은 물론 인체에 치명적일 수 있는 조류독감 바이러스에 대해서도 예방 효과를 발휘하는 백신이고요. 초전도 송신은 기존 구리선 대신 초전도 케이블을 쓰고 전력시스템을 초전도로 전환하면, 같은 굵기의 전선으로 1만 배의 전기를 수송할 수 있으며 전기저항으로 인한 수송 중의 전력손실을 크게 줄일 수 있을 뿐만 아니라 현재의 교류수송에서는 불가능한 원거리 대용량 전력수송시대를 열 수 있는 기술이지요. 디지털 홀로그래피는 실물에서 반사 또는 회절되는 빛에 담긴 사물의 정보를 세밀하게 저장하고 입체적으로 재현하게 되고요. 바이오 플라스틱은 합성수지 기능을 모두 갖추고 있으면서 땅 속에 묻히거나 빛을 오래 쬐면 자연스럽게 분해되는 신물질이고요. 4G플러스 이동통신 기술은 4세대 이동통신에 비해 수십 배나 전송용량이 큰 차세대 기술이지요. 친환경 천연물 농약은 식물추출물 등 천연물질을 이용하여 환경과 인체에 부작용이 없게 개발된 농약입니다. 하나같이 에너지 절약의 효과를 극대화한 친환경 첨단 기술인 것이지요.

지금까지 물질문명은 대부분 에너지 자원의 과소비와 치명적인 공해에 의해 발달해 왔지요. 따라서 '문명의 그늘'을 더 이상 방치하기에는 너무도 심각한 위기에 직면한 것이지요. 우선 먹기는 곶감이 단 문명의 단물만 빼먹다 보니 문명의 일방적 횡포를 견디다 못한 자연의 보복을 당하게 된 것이지요. 자연의 본명인 신의 노여움은 좀처럼 가라앉지 않을 것만 같습니다.

이 마당에 어떤 대책이 필요할까요. 신에게 용서를 구하고 자연과의 화해를 꾀하는 도리밖에는 없지요. 그러기 위해서는 문명의 반자연적 지식을 친자연적 지혜로 전환해야지요. 앞에서 열거한 열 가지 신기술은 바로 그런 취지와 맥락을 같이 하는 지혜로운 처방이지요. 그런데요. 그보다도 더 필요하고 각광받을 기술이 있지요. 마음을 다스리는 기술이지요.

현대인들은 크고 작은 차이뿐 모두가 몸은 물론 마음까지 심각한 병을 앓고 있지요. 전에는 노동의 대상인 몸은 팔았어도 정신은 말짱했는데 요새는 정신까지도 서슴없이 팔고 있지요. 이성, 지식, 감성, 언어, 신앙, 영혼조차 상품화돼가는 세상입니다. 그러니 현대병의 근원이자 만병의 주범인 스트레스는 갈수록 사나워지고 깊어만 가지요. 덩달아 동식물조차 혹독한 스트레스를 앓고 있지요. 지상에 무엇 하나 온전한 생명체가 없게 되고 만 것이지요. 큰일입니다. 그 상태가 심하고 덜하고 차이뿐 현대인들에겐 누구나 알게 모르게 '집단 정신병'이 임계점을 넘어서듯 심화돼 가고 있지요. 인간의 한계로는 문명의 과속과 경쟁의 과열을 도저히 따라갈 수 없는 상황에 이르렀기 때문이지요. 아무래도 멸망의 전주만 같은 과속의 정신병동에 더는 자신을 내맡길 수 없게 된 것이지요.

어서 마음을 다 잡아야지요. 중병이 든 마음을 건강하게 하는 기술이야말로 그 어떤 기술보다도 가장 화급하고 절실한 것이지요. 그 회답은 누천년에 걸쳐 뭇 종교와 철학이 무수히 반복하여 제시해왔습니다. 더 이상은 내놓을 게 없이 그 밑천이 다 드러났지요. 다만 그것을 제대로 실천하지 못했을 뿐인 것입니다. 문명의 발달에 반해 오히려 심각하게 퇴화한 정신을 하루 빨리 제자리에 돌려놓아야 합니다. 앞으로는 최고의 기술이 아니라 최선의 기술을 지향해야 합니다. 몸과 마음, 물질과 정신을 동시에 만족시킬 수 있는 기술만이 미래의 기술로 대접받아 마땅한 것이지요.

효도

어머니가 가신지도 한 해가 지났습니다. 그러나 아직도 엊그제만 같습니다. 주위에서 칭송도 들었고 저 역시 나름으로는 모신다고 했었지만 지나고 보니 부끄럽기 짝이 없습니다. 감히 어떻게 부모님께 자식이 할 만큼 했다고 할 수 있을까요. 아무리 지극한 효도라도 부모님 은혜에 비하면 그 발바닥에도 못 미치기 마련인데요.

부모님의 자식 사랑은 맹목적이며 절대적이지요. 자신을 넘어선 무한 사랑입니다. 그러나 자식의 효도는 마땅히 해야 할 도리를 하는, 상대적이면서도 의무적인 것이지요. 무의식적 집착인 부모 사랑에 비해 다분히 자신을 의식한 한계가 있지요. 그런데 어떻게 할 만큼 했다는 표현을 쓸 수 있겠습니까. 설사 제 몸을 바친다 해도 턱없이 부족한 것인데요.

삼강오륜이 있었지요. 절대적이다시피 당위적 구속력을 가진 최상위 헌법이었습니다. 효는 그중에서도 가장 원초적이며 당연한 근간이었지요. 충효라고 해서 부모보다 나라를 위에 두었지만 사실 충은 효의 연장이었습니다. 효심의 대상이 부모에서 나라로 확대 발전되길 바란 것이지요. 그러기에 나라에서도 인간 도리의 으뜸으로 효를 장려했지요. 옛날에는 부모가 병들어 계시면 치열한 전쟁터에서도 서둘러 귀가할 수 있었지요. 일찍이 중국 은나라에서도 효를 다룬 기록이 전합니다. 공자는 그 중심 사상인 인(仁)의 실천방법으로 효에 관한 구체적 규범을 밝혔지요. 맹자 역시 백성들에게 효제의 도리를 가르치는 것이 왕도정치의 근본이라고 거들었지요. 그뿐입니까. 가족을 떠나 출세간의 삶을 추구하는 불가에도 유가의 『효경』에 비길 『부모은중경』이 있지요. 목건련 설화는 우란분절과 함께 지금도 천도재를 통하여 절절하게 기억되고 있지요. 은혜사상이 교리의 핵심인 원불교에서도 부모의 은혜를 조목조목 상세하고도 곡진하게 밝히고 있습니다. 아브라함의 예에서 보듯 하나님에 대한 사랑이 효보다 우선한 기독교에서도 효는 어김없이 등장합니다. 제5계명에 "네 부모를 공경하라."고 새겨져 있지요. 또 "부모를 경외하고 안식일을 지키라(레위기 19:3)."고도 했지요. 더 보실까요. "효를 행하면 너에게 준 땅에서 네 생명이 오래 복을 누린다(신명기 5:16)."고 권장했지요. 반면 "부모를 경홀히 여기는 자는 저주를 받을 것이라(신명기 27:12)."고 경고하기도 했습니다. 가족을 사회의 기본단위로 생각하는 이슬람의 『코란』에도 효를 이야기한 부분이 도처에 나옵니다. 특히 어머니에 대한 효를 강조하고 있지요.

우리나라만큼 효에 대해 각별했던 경우도 드물지요. 효는 인륜지사의 으뜸이었지요. 효는 동방예의지국으로서의 지고지순한 가치였지요. 고려 성종 때는 효자를 관리로 특채하는 제도까지 있었지요. 그래서 아놀드 토인비도 "한국은 효 사상으로 인류 문명에 기여할 것"이라고 칭찬했지요.

그런데요. 요즈음은 거론하기가 겸연쩍을 만큼 효도라는 단어가 세간의 입언저리에서 사라졌지요. 너무 귀에 못이 박혀서일까요. 아니면 내리사랑이라는 말처럼 수직적 관계이던 부모자식간의 위계질서를 민주적(?)으로 수평화한 여독일까요.

그러나 부모의 사랑은 여전히 간곡하게 이어지고 있지요. 이성을 초월해 내재하는 생명체 본연의 보편적 본능이기 때문입니다. 그렇듯 부모의 자식사랑은 선천적으로 무조건적이며 본능적이지요. 그러나 자식의 효성은 후차적으로 이성과 감성과 의지의 조화로운 작용이지요. 부모의 베풂이 일차적 언어라면 자식의 갚음은 이차적 언어에 가깝습니다.

동물들도 새끼사랑은 사람 못지않습니다. 그러나 효도라는 언어는 인간만이 사용하지요. 지고지순한 자연심의 발로인 부모의 사랑에 비길 수는 없지만, 효심은 본능이라는 원동력이 없이 순수한 자기의지에 의해 발휘되는 마음 중에서는 가장 자연스럽고 아름답고 고귀하지요.

효심에 대해 살펴볼까요. 효심은 지극한 마음입니다. 사심이 없는 마음입니다. 열린 마음입니다. 따뜻한 마음입니다. 경건한 마음입니다. 감사하는 마음입니다. 받드는 마음입니다. 안타까워하는 마음입니다. 기쁜 마음입니다. 어여쁜 마음입니다. 건강한 마음입니다. 그 마음이 부모에게 머물 때는 효심이고, 이웃과 세계로 확대될 때는 '우주심' 이 됩니다. 우주를 향한 진정한 마음은 효심과 다르지 않지요. 아가페나 보살심은 곧 우주로 확산된 효심이지요. 효심은 자기완성을 향한 마음 수행의 길잡이이면서 한편 궁극적 경지이기도 합니다.

건강

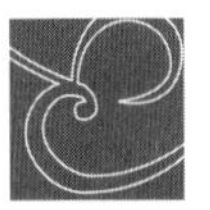

우리는 흔히 "심신의 건강"이라고 이릅니다. 건강에 있어서 몸에 앞서 마음이 먼저라는 뜻을 머금고 있는 것이지요. 스트레스만큼 건강에 해로운 적이 없다는 사실 또한 너무도 빤한 건강 상식이 되었습니다. 고금의 신앙 역시 마음의 건강을 다루는 첩경이지요. 자유, 평화, 행복 등 인간의 보편적 절대가치도 건강한 마음이 그 필수적 요소를 이루고 있습니다. 아무리 바빠도 한번쯤 자신의 마음을 돌이켜 들여다보고 맑고 밝게 다듬는 '자기정성' 이야말로 가장 시급한 일과일 것입니다.

헌신

우리는 흔히 누군가를 사랑한다고 하지요. 그가 없이는 살 수 없을 만큼 사랑한다고도 하지요. 그러나 가만히 들여다보면 사랑이 아닌 경우가 많습니다. 집착과 이기심이 그 동기이자 에너지인 경우가 대부분이지요. 이성간에 있어서는 육체적 욕구가 그 빌미이기도 하지요.

사랑이 무엇입니까. 상대에 대한 마음 씀씀이지요. 주고 싶은 마음이지요. 굳이 받는 것이 있다면 상대를 위해 즐겨 베풀고 그것을 기뻐하고 즐기는 마음뿐이지요. 받으려는 마음이 강하면 그것은 사랑이 아니라 욕심이며 자기애이지요. 대부분 사랑의 참 뜻은 접어둔 채 사랑한다고, 죽도록 사랑한다고 거리낌 없이 자신에게 이르고 또 상대에게 뜨거운 입김을 불어 넣기 바쁘지요. 그러면서 상대에게 준 마음 몇 배 이상의 것을 받으려고 들지요. 아무래도 그 게 돌아오지 않는 듯싶으면 못 견뎌하며 사랑의 진정한 가치를 폄훼하거나 오해하기 일쑤지요.

그러나 보십시다. 상대에게 준 그 마음이 정녕 상대를 위한 배려와 기도였습니까. 솔직히 마음이 끌리는 대로 따라간 것에 불과한 자신의 감정 발로였습니까. 대개의 거짓 사랑 –사랑을 빙자한 이기심이나 집착의 발로–은 욕망과 어리석음을 두 날개로 거느리고 따뜻한 곳이나 시원한 곳을 찾아 날아가는 철새의 여행이기 쉽습니다. 만약에 사랑하는 사람이 곁에서 떠난다고 칩시다. 그래도 자기가 잘했다고 떠난 이를 원망할 수 있다면 다행이지요. 그러나 저간의 사랑을 돌이켜 보면 대부분 후회가 따르기 마련이지요. 잘 한 것은 없고 철없이 잘 못한 것만 마음에 걸리지요. "좀 더 잘해 줄 것을!"하고 자책하게 되지요. 이미 돌이킬 수 없을 때에야 비로소 사랑의 진정성에 눈을 뜨는 것이지요. 그렇습니다. "좀 더 잘해 줄 걸!"하는 그 마음이 사랑이지요.

사랑은 우리 마음의 나들이지요. 그 마음은 착한 마음이고 따뜻한 마음이고 헌신적 마음이지요. 그 마음의 외출이 온전히 그 상대에게 이르도록 최선을 다하는 것이 사랑이지요. 사랑만 제대로 해도 우리 마음은 지극한 경지에 이를 것입니다. 참으로 사랑하는 마음이 마음의 바탕을 이룰 때면 마냥 감사하고, 기쁘고 즐겁게 되지요. 덩달아 세상은 고맙고, 풍요하고, 새롭게 보이지요.

이웃을 욕하고, 세상에 불만을 토하기 급급한 경우는 진실로 이웃과 세상을 사랑하지 못하는 반증이지요. 지구가 멸망한다고 –실은 지구는 망하지 않고 인류만 멸망하는 것이지만– 탄식할 시간에 마음속 깊이 순결하고 아름답고 뜨거운 사랑을 한 번이라도 더 일구어야겠습니다.

현재

"비석에는 어째서 죽은 사람의 경력 중 두 가지, 즉 생일과 사망일만을 기록하는지 나는 도대체 이해할 수 없다. 자살을 하지 않았다면 두 가지 다 본인의 의사하고는 전혀 관계없는 것들 아닌가?"라고 미국의 저널리스트인 J. S. 코브가 말했다고 하지요. 듣고 보니 맞는 말이네요. 자의든 타의든 억지로 죽지 않고서는 자신의 죽는 날짜를 알 턱이 없지요. 그렇다고 태어나는 날도 스스로는 알 길이 없지요.

자신의 생사에 대해 전혀 자의적 간섭을 할 수 없는 게 인간의 한계입니다. 과연 처음도 끝도 자신의 의지가 아예 반영되지 않은 생을 진짜 자기 것이라고 할 수 있을까요. 자신도 모르게 내던져진 처지가 시작이라면 자신도 모르게 끌려가는 처지가 종말인데요. 시작도 끝도 모르는 타의의, 타의에 의한, 타의를 위한 행군에 지나지 않는데요.

이왕이면 낭만적인 열차여행에나 비교해 보실까요. 아무리 그래도 씁쓸하긴 마찬가지네요. 중간 간이역도 없이 무작정 달리는 열차에 그 이름도 주행거리도 속도도 모르고 무조건 태워져서 마냥 달리는 것이니까요. 그 흐릿한 창가에 비치는 바깥 풍경들을 보며 낄낄대거나 한숨짓는 또 하나의 풍경을 한번 상상해 보십시오. 그것이 곧 우리 일진데, 무엇이 자기 것이며 도대체 어느 누가 진짜 자기라고 거품을 물겠습니까. 이건 승객도 아니지요. 멀쩡한 승객이라면 의당 출발역과 종착역이 명시된 차표를 가지고 있어야 하는데요. 차표가 없으니까 난데없이 검표원의 불심검문에 강제 추방당하기 마련이지요. 차표 한 장이라도 손에 쥐고 떠나는 송대관의 "차표 한 장"은 그래도 행복한 경우지요.

역사를 다루는 이들이 자칫 놓치기 쉬운 결정적 과실이 있습니다. 선사시대부터 최근까지의 엄청난 시간을 널뛰듯 오락가락하면서도 정작 하루살이에도 못 미치는 그 아까운 제 시간은 까마득히 잊고 지나치는 것이지요. 이곳 저곳 남의 시간만 참견하기에 온통 넋을 빼앗기는 것입니다. 그러나 그 안타깝게도 짧은 시간은, 저 장구한 청사에 비하면 비록 하루살이에 지나지 않을지언정 고금의 역사, 아니 그 무엇과도 바꿀 수 없는 온전한 자기 것이지요.

그러고 보니 그나마 확실한 것은 눈앞의 현재밖에 없네요. 비록 무임승차한 터에다 쉬지도 않고 달리는 열차 안이지만, 지금 당장만이라도 제대로 자의로 누려보는 수밖에요. 그러려면 빼앗긴 마음을 돌이켜 제 속에 고이 앉혀야 합니다. 마음이 머무는 곳이 자신의 현주소이니까요. 그것은 타의에 의해, 이를테면 남의 시간에 정처 없이 끌려

가는 영원(영생)보다도 몇 배나 값진 제 시간이니까요. 그렇습니다. 문제는 현재의 마음에 모든 정성을 다 기울이는 것입니다. 그것이야말로 어쩌면 영원의 열쇠일 테니까요. 선승들이 골머리를 앓는 화두의 해답은 언어도단의 철저한 현재성에 있듯이요.

"신이 있다고 생각하며 열심히 살자. 만약에 신이 있다면 죽어서 구원을 받을 것이다. 설사 없다고 해도 삶이 그만큼 충실할 수 있으니 밑질 것은 없다."는 요지의 팡세 구절이 생각납니다. 그 신을 시간에 대입해 보실까요. 내생이 있다고 한다면 하등 내일에 목을 맬 필요가 없지요. 내생이 없다면 더욱이 내일에 아등바등할 이유가 없고요.

중요한 것은 오늘입니다. 내생이 있다면 무한대의 우여곡절뿐 하등 결과도 정점도 없으니 오직 현재에 충실한 것이 바람직하고, 내생이 없다면 그 짧은 시간 속에서 내일 내일하며 정작 현재를 허비할 겨를이 없을 터이니까요. 과거와 미래에 사로잡혀 현재를 소홀히 하는 것은 어리석고 비능률적인 시간관념일 수밖에요. 이런저런 습관이나 구실로 과거와 미래에 저당 잡힌 현재를 과감히 해방해야 하겠습니다.

혹사와 방기

물질과 에너지가 둘이 아니라고 했지요. 그와 같이 몸과 마음도 따로따로인 것 같지만 하나입니다. 하나이면서도 둘이지요. 둘이면서도 하나이고요. 몸에 병이 있듯이 마음에도 병이 있습니다. 그렇다고 따로따로 아픈 것은 아니지요. 몸이 병들면 마음도 편치 않습니다. 마음이 병들면 몸도 성치 못하고요. 유마는 세상이 아프면 자신도 아프다고 했지요. 나와 세상을 하나로 본 것입니다. 세상은 곧 내 마음을 아프게 하는 몸이라는 것이지요.

몸을 혹사하면 병이 되지요. 마찬가지입니다. 마음도 혹사하면 병이 됩니다. 스트레스는 현대병의 주범이다시피 되었지요. 번뇌도 많으면 정신건강에 해롭습니다. 정신집중이 좋은 것이지만 정상을 잃고 지나치면 안타깝게도 마음의 균형이 깨지는 경우가 생기지요. 몸의 과로도 피해야 하지만 정신의 과로는 더욱 무섭습니다. 머리를 너무 심하게 쓰면 코피가 나고 자칫 졸도하거나 치사상태에 이르게 되지요.

그렇다고 마음을 너무 쓰지 않고 편히 놔먹이는 것도 좋지 않습니다. 잡념이 끓거나 무기력하게 퇴화되지요. 몸도 가만두면 비만이나 운동부족으로 건강을 망치는 경우가 생기지요? 마음도 마찬가집니다. 선가에서도 화두를 너무 조급히 들다가 병이 되는 경우를 경계하지요. 한편 화두를 놓치고 긴장을 잃은 경우를 무기라고 해서 더욱 경계하지요.

선이라는 것은 우리와 동떨어진 선승들만의 독점물이 아닙니다. 선이란 마음을 다루는 공부이지요. 마음을 다잡아 온전히 하는 것이지요. 그러니까 우리가 일상에서 마음을 다루는 것도 선이지요. 우리가 자주 쓰는 일상어 중에도 부지불식간에 선을 가리키는 표현들이 많습니다. 우리가 흔히 쓰는 반성이라는 단어도 기막힌 선어이지요. 다시 보면 기본적인 선의 요체이지만요. 마음을 돌이켜 살피는 데서 선은 비롯되고 열매 맺지요. 마음을 너무 혹사 하는가 아니면 너무 놓아버리는가 늘 돌이켜 볼 일입니다.

훌륭한 일꾼

대보름날이면 쥐불놀이를 하고 나서 뜬눈으로 밤을 꼬박 지새우던 기억이 새롭습니다. 그때 어른들은 얼굴에 숯검정 그을음을 묻힌 채로 잠들면 잠시 외출했던 혼이 자신인 줄 몰라보고 달아나버린다고 겁을 주며 놀리셨지요. 달마 대사도 인도에서 중국으로 넘어올 때와 돌아갈 때의 허우대가 전혀 달랐다는 이야기가 전하지요. 잠시 혼이 허물이라도 벗듯 몸을 두고 나갔다 돌아와 보니 그 빼어난 미남은 간 곳이 없어서 할 수 없이 잔생이도 쭈글쭈글한 추남을 걸칠 수밖에 없었기 때문이라는 황당한 전설이지요. 모두가 자신의 구성요소인 몸가짐을 청결하게 하고 마음가짐을 단정하게 하여 몸과 마음이 따로 놀지 않도록 잘 관리하라는 가르침의 일단이지요.

마음이란 공간에는 여러 식솔들이 삽니다. 그 넓이와 깊이를 헤아릴 수 없듯이 식솔들 역시 헤아릴 수 없이 많지요. 그중에는 제 식구도 있지만 초대받지 않은 불청객들도 많지요. 그러니까 제 식구들은 밖으로 못 나가게 단단히 붙들고, 불의의 침입자들은 당장 쫓아내야 합니다. 그러기 위해서는 눈을 부릅뜨고 보초를 설 수밖에요.

그런데 그 두 부류를 구별하기란 쉽지 않습니다. 일단 마음속을 깊숙이 들여다보아야 합니다. 함께 있어서 당장 달콤하지는 못해도 지나고 보면 오래오래 마음이 가볍고 편하면 제 식구이지요. 그러나 당장은 멋모르고 좋을지 몰라도 얼마 못 가서 마음이 괴롭고 불편하면 불청객입니다. 아무리 양심과 담을 쌓은 망나니라 할지라도 문득문득 제정신이 돌아와 제 식구에 대한 각별한 애정이 샘솟을 때가 있기 마련이지요. 그러면 제 식구가 맞는지 다시금 확인해 보아야 합니다. 남들이 내 마음 씀씀이와 됨됨이를 진심으로 어여쁘게 여기는가를 잘 살펴봐야지요. 그 결과 나도 기쁘고 남들의 기쁨도 두루 한결 같으면 틀림없이 제 식구입니다.

마음을 잘 지키는 것은 마음을 잘 쓰는 것이지요. 제 식구를 받들어 모시는 한편 잘 부려먹어야지요. 그러면 저절로 다른 불청객들이 넘볼 여지가 없어지는 것이지요. 아무리 깊고 해맑은 우물물도 사용하지 않고 오래 방치해두면 썩지요. 자꾸 퍼 올려 마셔야지요. 행여 이끼나 잡것이 낄 틈을 주지 않아야 하는 것입니다. 마음도 그렇습니다. 착한 마음, 좋은 마음, 따뜻한 마음, 고요한 마음, 바른 마음, 어여쁜 마음, 어진 마음, 순한 마음, 한결같은 마음, 성실한 마음, 진지한 마음, 깨끗한 마음, 그윽한 마음, 알뜰한 마음, 겸손한 마음 등 수많은 제 식구들을 놀리지 말고 잘 사용해야 하는 것입니다. 모두가 더할 나위 없이 훌륭한 나의 식구이자 일꾼들이니까요.

희망하기

엊그제만 해도 마치 빙하기를 연상케 하던 날씨가 언제 그랬냐는 듯 제법 봄 냄새를 풍기기 시작하네요. 대체 몇 중창인지 헤아리기 난감한 맹꽁이의 합창에 귀가 얼얼합니다. 그러니까 겨울은 봄의 전령이었지요. 아니, 예언자였지요. 아직도 이 땅에서 겨울은 아무리 혹독해도 분명 봄이 오고 있다는 예언임을 기억해야겠습니다.

문득 한 친지 이야기가 떠오르네요. 마지막으로 찾아간 고향. 바다에 빠져 죽으려고 물 빠진 개펄 위를 걸어가던 초로의 사내가 있었습니다. 뉘엿뉘엿 기우는 해 그늘 따라 점점 바닷물과 가까워지고 있었지요. 그런데 길을 막으며 발가락에 자꾸만 걸리는 것이 있었습니다. 입을 쩍쩍 벌린 바지락이었지요. 그 순간 한 생각이 번개처럼 스쳐갔습니다. 마치 계시와도 같았지요. 자신도 모르게 발길을 돌이킨 그는 이웃마을까지도 살판나는 바지락 양식장을 일구었습니다.

가만 보면 걸음마다 어디 걸리지 않은 적이 있던가요. 발길에 채이고, 장사진을 이룬 차량에 막히고, 매연과 황사 먼지에 눈시울이 따갑지요. 나이 들면서 한두 번쯤은 목전에 바싹 다가와 어른거리던 죽음은 또 얼마나 걸리던가요. 그러나 걸리는 것이야말로 신이 나를 위해 보내는 절박하고도 소중한 신호인지도 모릅니다. 그러니 지구 어디에 불씨 하나만 있다면 깊은 밤에도 어둡다고 말해선 안 됩니다. 태양의 흑점 속에 갇힌 듯 두려운 밤에는 더욱 그래야 합니다. 어두울수록 작은 불빛이라도 찾아 나서는 부르튼 발길 말고는 죄 낭비요 거짓이지요.

우리는 지금 어느 누구를 탓할 겨를이 없습니다. 이웃에의 원망이나 탄식, 세상 탓마다 한 꺼풀의 어둠을 덧칠할 뿐이지요. 그러니 괜히 기분을 잡치게 하고, 세상을 어둡게 몰아붙이고, 사람 사이를 벌리려고 드는 소음에는 귀를 막고, 겨울이 추워도 봄은 따뜻하고 캄캄한 밤일수록 작은 불빛도 한결 소중하다는 지극한 상식에만 귀 기울여야 하겠습니다. 어쩌든지 사랑하는 사람 손을 꼭 잡고 그 촉촉한 손에 숨은 불씨를 켜야겠습니다. 시방 우리에게 허락된 유일한 언어와 문법은 이웃에 대한 희망과 격려뿐입니다. 진실과 도덕과 상식이 눈먼 돈에 가려 어두운 세상이라지만 그럴수록 숨은 양심과 작은 선행도 값지지 않겠습니까. 마치 내일이면 지구가 망하기라도 할 것처럼 불안해하며 그 절망을 주변에까지 확산해온 죄들이 너무 크네요. 새록새록 부끄럽네요.

아무리 말세라고 해도 탕자보다 더 많은 의인들이 있어서 인류 역사는 지금까지 면면이 이어져 온 것 아닌가요. 걸핏하면 아무렇게나 밖으로 꺼내놓기 일쑤인 "세상사 마음먹기 달렸다."는 속설을 한번쯤 진지하게 저마다 자신의 안으로 되돌려 담아야겠습니다.

판도라 상자를 재확인하지 않더라도, 사람들은 저마다 희망이라는 삶의 무기를 배급받아 세상에 나왔을 것입니다. 희망은 감히 누구도 간섭할 수 없는 천부인권이며 평생의 천록(天祿)이겠기 때문이지요. 저는 불청객인 절망이나 실망을 희망 대신 먹여 살리느라고 정작 희망을 챙기는 것에 소홀했습니다. 이제 미처 누리지 못한 제 몫의 희망을 되찾아 재산목록 1호로 뚜렷이 등기해 놓으려 합니다.

마음속에는 희망과 절망이 동거하며 치열하게 영역싸움을 하지요. 절망은 공격적인데 비해 희망은 소극적이기 쉽지요. 그 패턴을 바꾸는 것입니다. 막연한 불안을 부추겨 들쑤셔대는 절망을 구체적이고 적극적인 희망전략으로 격파하는 것입니다. 사회적 존재인 인간에게 삶은 권리이자 의무이기도 하지요. 희망의 일등공신은 삶에의 의지입니다. 마음속에 고마운 벗이자 든든한 후원자인 희망의 영토를 확장하다보면 주눅이 든 절망은 설 땅이 없어지겠지요. 그리고 현재에 각별한 애정과 열정을 기울이는 것이지요. 알고 보면 누구에게나 지금 이 순간이 가장 행복한 것입니다. 어느 때보다도, 무엇보다도 소중하기 때문이지요.

맘

평상심

장량은 한신, 소하와 함께 유방을 도와 한나라를 세우는 데 큰 공을 세우지요. 『삼국지연의』에서 사마휘가 제갈량을 칭찬하며 "한나라 4백 년의 기업을 일으킨 장자방에 비할 만하다."라고 했을 정도로 지혜의 상징으로 알려져 있지요. 여기서 장자방은 장량을 이르지요. 그런데 『사기』에는 별로 이름이 알려진 일도 없고, 용맹한 공적도 없었다고 적혀 있습니다. 다만 어려운 일을 쉬운 가운데 도모하고 큰일을 작은 일 속에서 처리했다는 각주를 덧붙이고 있지요. 얼핏 보면 『삼국지연의』에서 벌어 놓은 것을 『사기』에서는 죄 까먹고 있는 셈이네요.

그런데 여기에서 간과해서는 안 될 사실이 있습니다. 어려운 일을 쉬운 가운데 도모하고 큰일을 작은 일 속에서 처리했다는 구절입니다. 결코 쉽지 않은 능력이지요. 대개의 경우, 쉬운 일도 어렵게 꼬이기 일쑤고 작은 일도 괜히 크게 벌리기 다반사인데요. 이를테면 복잡한 것을 단순화하는 지혜인데요. 얼마나 현명하고 경제적인 처신입니까. 초심과 평상심을 놓지 않고 일의 가닥을 잘 추렸기 때문이지요. 그러기에 저절로 실마리가 풀릴 수밖에요. 그 후로는 일사천리이지요. 괜스레 놀랄 것도 불안할 것도 없지요. 걱정할 시간에 차분히 쉴 수 있지요. 그러니 일에 임해서는 한결 수월할 수밖에요.

사물이나 사건의 본질만 제대로 꿰뚫는다면 아무리 어렵고 큰일도 물 흐르듯 결 따라 처리할 수 있는 것입니다. 손자병법의 정수인 지피지기(知彼知己)가 제대로 이루어지는 것이지요. 그러니 한신과 소하는 팽 당하여 비참한 최후를 맞았어도 장량은 무사히 은사(隱士)의 여생을 마친 게 아닐까요.

살다보면 걸음걸음 사건의 연속이지요. 그런데 작은 사건에도 허둥대고 쉬운 일에도 불안해하는 경우가 수두룩하지요. 사실 지나고 보면 별거 아닌 문제에 지나치게 심신을 소모한 후회가 대부분 생의 이력서인지도 모릅니다. 오지도 않은 내일을 미리부터 걱정하느라고 정작 내게 유일무이한 시간인 오늘을 애써 지옥에 가두어 낭비하는 어리석음이 그 주범이지요. 심리학에서는 "어떤 일이 발생할지 잘 모를수록 사람들은 이를 위기로 인식하며 불안감과 불쾌감은 증폭된다"고 하지요.

자연히 무언가 검증되고, 보다 잘 알며, 확실한 것을 선택하거나 추구하면서 이러한 불안감을 감소시키려고 들겠지요. "이때 무언가 방향성 있는 동기를 찾아내 의미 있는 행동으로 옮겨간다면 좋은 결과를 기대할 수 있다"고 합니다. 단순화의 일환이지요. 불안의 안갯

속에서 벗어나 신속하고 정확한 일처리를 하려면 일단 시야를 가리는 거품과 먼지를 제거해야 하지요. 무엇보다도 평소 마음의 평정과 분별력을 지녀야 합니다. 그러기 위해서는 불필요한 생각과 욕구를 줄이고 최소한의 필요만을 일사불란하게 밀고 나가야 하지요. '필요의 단순 정예화' 야말로 효과적인 일처리의 핵심인 것입니다. 초연한 생사관, 떳떳한 가치관, 흔들리지 않는 자기신뢰 역시 초지일관하는 지혜와 용기의 원동력이지요.

터 가꾸기

마음은 무슨 색깔일까요. 무슨 맛일까요. 심술궂은 악동의 모습일까요. 선량한 농부의 모습일까요. 그 얼굴을 볼 수도 없고 그 소리를 들을 수도 없고 더욱이 그 맛은 알 길이 없지요. 그런데 일찍이 그 난감한 문제에 도전한 이들이 있었지요. 맹자와 순자입니다. 맹자는 본래 인간의 마음씨는 착하다고 했습니다. 반면에 내내 맹자나 진배없이 유가의 적자인 순자는 인간의 마음씨를 악하다고 했지요. 그러나 둘은 그 마음씨를 바르고 착하게 가꾸자는 결론에는 일치했습니다.

물론 진단이 다르니 치료법은 달라야겠지요. 맹자는 선량한 마음을 부지런히 길러야 한다는 덕치를 강조했고 순자는 악한 마음을 순치시켜야 한다고 법치를 강조했지요. 도덕과 법의 경계에 위치한, 공자의 두 손제자가 각각의 팻말을 들고 일인시위를 하고 있는 정경이 떠오르네요.

그러나 두 선각에게 미안한 노릇이지만 마음은 원래 선하지도 악하지도 않은 것이라는 설에 무게가 실리는 형편이지요. 다만 그 선도 아니요 악도 아닌 마음이 경계에 따라 선하게도 나타나고 악하게도 나타난다는 것이지요. 그 속에는 마음이 항상 선하게 나타날 수 있게 그 바탕을 선하게 하는 마음농사가 가능하며 또 필요하다는 간곡한 뜻이 담겨 있습니다.

마음을 잘만 가꾸면 온전히 자기 것인, 아니 바로 자기인 그 터에 천국을 건설할 수도 있다는 축복과 희망의 전언이지요. 곧 인간승리 선언입니다. 다만 선하다는 생각조차도 들지 않게 해야겠지요. 자칫 자기도 모르게 오만해지기 쉬우니까요.

겸손

2007년이던가요. 이종범 선수에게는 견디기 힘든 해였지요. 심각한 슬럼프 탓이었지요. 그때 그는 "1회 WBC(그때 타율이 5할이었지요)를 다녀온 뒤 자신감이 너무 넘쳤어요. 무조건 잘할 것 같더군요. 지나친 자신감 탓에 훈련에 소홀했지요. 제가 타고나서 잘한 게 아니라, 노력해야만 잘할 수 있다는 걸 잠시 잊은 거지요. 그 결과가 치욕적으로 나타났습니다."라고 고개를 숙였다고 합니다. 이야기 나온 김에 하나 더 할까요. SK 에이스 김광현과의 대결에서 홈런과 적시타를 쳤을 때입니다. 그날 그는 맹타 비결의 공을 김지훈 코치에게 돌렸다고 합니다. 훈련 때 김 코치가 조언해준 대로 한 것이 그런 결과를 낳았다고요. 이종범이 누굽니까. 참고로 김지훈 코치는 통산 타율이 겨우 2할을 턱걸이 했던 해태 시절 후배인데요. 교만과 겸손의 결과를 단적으로 잘 설명해주는 에피소드이지요.

교만은 자신의 적입니다. 그것도 무서운 적이지요. 반면에 겸손은 훌륭한 아군이지요. 최고의 파수꾼이지요. 한번 둘러보실까요. 불가에도 여러 종파가 있습니다. 그중 구사종에서는 번뇌의 씨앗으로 탐(貪), 진(瞋), 만(慢) 즉 탐내는 마음. 성내는 마음. 그리고 교만한 마음을 꼽지요. 탐(貪), 진(瞋), 치(痴) 삼독(三毒) 중 어리석음 대신 교만을 넣었지요. -치(痴)는 너무 포괄적이어서 탐(貪)과 진(瞋)도 그 안에 포함시킬 수 있을 것 같지요. 저도 탐(貪), 진(瞋), 치(痴)보다 탐(貪), 진(瞋), 만(慢)으로 표기하는 구사경의 분류법이 마음에 듭니다.-

범망경의 대승계 가운데 비교적 가벼운 죄를 경계한 48가지 계율에도 교만에 관한 계(戒)가 두 개나 들어 있지요. 하나는 "법사를 대할 때는 교만한 마음을 내지 말고 법사 앞에 나아가서 올바른 법을 청하라. 법사가 어리다 해도 도덕과 학문이 있으면 잘 따라 배워야 한다."는 계이지요. 또 하나는 "교만한 마음을 버리고 바르게 가르쳐라. 천리 안에 계를 줄 법사가 없거든 지극하게 기도하여 상서(祥瑞)를 본 뒤에 법사를 만날 것이며, 법사는 발심한 이가 물을 때에는 지성으로 가르치라."는 계가 그것이지요. 또한 겸손에 관한 대표적인 사표로 상불경 보살이 있지요. 법화경에는 상불경이라는 보살이 지위의 고하, 빈부귀천을 가리지 않고 누구에게나 "나는 그대를 존경합니다."하고 합장 예배하는 장면이 나오지요. 그러기에 예전의 스님들은 탁발이나 만행을 통하여 교만심을 없애고 하심을 닦았지요.

성경을 보실까요. "나는 마음이 온유하고 겸손하니 나의 멍에를 메고 내게 배우라. 그러면 너희 마음이 쉼을 얻으리니(마태복음

11:29)."라는 구절이 있지요. 또 "그러므로 모든 더러운 것과 넘치는 악을 내어 버리고 능히 너희 영혼을 구원할 바 마음에 심어진 도를 온유함으로 받으라(야고보서 1:21)."는 구절도 감명 깊지요. "그러므로 하나님의 능하신 손아래서 겸손 하라. 때가 되면 너희를 높이시리라(베드로전서 5:6)."는 구절도 새겨둘만 하고요. 논어에도 "공손함이 예의와 일치하면 치욕감을 멀리할 수 있다."는 유자의 말이 보이지요. 그보다도 공자가 자공과 더불어 안회라는 제자를 두고 이야기를 나누는 장면을 보실까요. "안회가 열이라면 저는 겨우 둘에나 이를지 모릅니다."라는 자공의 말에 "안회는 나보다도 더 낫다."고 맞장구치는 구절이 있지요. 겸손의 압권이지요. 천하의 성현이 새까맣게 젊은 자기 제자를 자신보다 높인 것이니까요.

교만과 겸손은 하늘과 땅 차이지요. 그런데 실상은 그 반대이지요. 겉으로는 교만이 하늘 높은 줄 모르지만 사람의 됨됨이로는 겸손이 교만보다 우위를 차지하는 것이니까요. 눈을 예로 들어보실까요. 교만은 눈을 부릅뜨고도 스스로 제 눈을 가리는 것입니다. 겸손은 눈을 감은 듯 하고서도 진지하게 바깥에 눈을 맞추는 것이지요. 교만은 하나도 제대로 못 가진 주제에 아무에게나 닥치는 대로 가르치려 드는 것이라면, 겸손은 아홉을 가졌으면서도 하나를 가진 이에게 성심껏 배우려고 하는 것이지요. 그러니 마음을 다스리는 데 있어서 교만만큼 해로운 훼방꾼은 없습니다. 실제로는 가진 게 쥐뿔도 없으면서-세상에 영원히 제 것이라곤 없으니까요.- 세상을 다 가진 듯 함부로 부리려고 드는 경우를 상상해 보시지요. 얼마나 고얀 코미디입니까.

자신에게도 남에게도 볼품없고 해로운 허상이 교만의 실상인 것입니다. 지각이 손톱만큼이라도 있다면 당연히 겸손할 수밖에요. 마음을 갈고 닦는 데 있어서 교만만큼 해로운 게 없고, 겸손만큼 고마운 게 없지요.

내실

"밖에서 잃은 것을 안에서 찾자"고 했던 그룬트비히의 말이 생각납니다. 전쟁에서 패해 영토의 상당 부분을 빼앗기고 폐허가 된 조국을 재건하기 위해 팔을 걷어 부친 애국 일성이 참으로 절절하지요. 외화(外華)보다 내실(內實)을 다지자는 구호가 어느 때보다 절박하게 들렸지요. 그래서 온 나라가 심기일전하여 오늘의 덴마크를 재창조했습니다. 패전이라는 바깥의 패배를 안으로 다잡아 극복한 것이지요.

『수심결』을 써서 마음공부의 새 길을 터 닦아 놓은 보조의 오도일갈은 마음에 대한 집중이었습니다. 다시 말해 '바깥'에서 '안'으로의 지향이었지요. 관심의 재발견이자 재강조였지요. 본연의 제자리 찾기, 제 것 바로 찾기였습니다. 이를테면 평생 자기를 바깥에 빼앗기고 헤매는 불쌍한 패자들을 향한 삭발 일성이었지요.

마음은 곧 부처요 진리라는 말은 많은 비유를 낳습니다. 마음은 곧

보화요, 주인이요, 천국의 열쇠요, 우주의 축도요, 생사의 진원지이지요, 그런데 그 무진장의 재산인 마음을 저마다 고이 간직하고 있는 것입니다. 마음을 얼마나 다듬고 가꾸고 잘 모시느냐에 따라 천국과, 평화와, 자유와, 진정한 부자를 이룰 수 있는 것이지요. 그것은 결코 밖에 있거나, 남에게 있지 않습니다. 언제나 자기 안에 있는 것이지요. 자기와 마음의 등식만 잘 풀면 새로운 세상이 열립니다. 자칫 스트레스의 온상이기 쉬운 마음이야말로 잘 쓰고 보면 불로장생초로 건강의 신약인 것이지요. 마음이 독초냐 약초냐 그것은 결국 마음 씀씀이에 달린 것입니다.

중심

유난히 추운 겨울, 두어 달 움츠려 지냈더니 많이 게을러졌네요. 추위뿐 아니라 더위도 사람을 게으르게 하지요. 적당한 기후와 환경이 일하기에 좋은 것은 두말할 나위도 없습니다. 인류는 춥지도 덥지도 않은, 그렇다고 추위나 더위를 아주 못 느끼게 밋밋하지도 않은 기후대에서 더 많은 발전을 일구어 왔습니다. 양극과 적도의 중간에 위치한 온대가 가장 살기에 적합한 곳이기 때문이지요.

구도수행 중 극단의 고행을 했던 부처도 깨달은 후 이른 첫 마디가 중도였지요. 공자도 현실과 이상의 조화로운 경지인 중용을 가르쳤습니다. 저울은 한쪽으로 기울기는 쉽지만 중심을 잡기는 어렵지요. 그러나 한번 균형이 잡히면 가장 편안한 자세가 되지요.

사람의 자세도 전후좌우로 치우치지 않고 중심을 잡아 바르게 해야 몸의 벼릿줄인 척추에 무리가 안 가지요. 보름달은 각이 없이 둥글고 원만하여 보기에도 좋고 밝지요. 그런데 신기하게도 정확히 한 달의 중간인 보름날에 뜹니다. 겨울과 여름, 여름과 겨울의 중간 중간에도 봄과 가을이 자리 잡고 가교와 완충 역할을 하지요. 꽃도 그냥 피는 게 아니지요. 반드시 새싹과 열매의 중간에 피어서 할 노릇을 하는 것입니다.

어떤 사물이든지 중심의 힘과 역할, 효용은 그만큼 중요하지요. 사람의 마음도 그 초심과 본심은 항상 근본인 중심에 있지요. 흔히 중앙을 중심이라고도 하는데 한자로는 중심(中心)으로 쓰지요. 그런데 자칫 좌우로 휩쓸리거나 끌려 다니며 중심을 잃기 일쑤지요. 그러면 얼어붙은 마음이 되거나 찌듯이 무더운 마음이 되는 것이지요. 제 마음이 아닐 수밖에요. 마음의 중심을 바로 하는 것이야말로 최선의 자기 관리이지요.

배려

상대방을 구속하지 않으면서 열정을 쏟는 것이 가능할까요. 상대방이 잘못 든 길인 줄 알면서도 그 뒤를, 스스로 깨달을 때까지 가까이서 조마조마 따라가야 하는 안타까움을 경험해 보셨는지요. 한바탕 다투고 나서 상대방의 잘못 아홉보다 내 하나의 불찰을 탓하는, 아니 상대방이 잘못을 저지른 원인과 배경을 함께 아파한 적이 있으신지요. 상대방을 위한다고 가슴 저미는 이별을 두 눈 딱 감고 받아들이려다가 아무래도 상대방의 고통과 상처가 너무 힘들 것이 눈에 선해 자존심 따위는 아랑곳없이 더 끈끈히 포옹해버린 적이 있으신지요.

사랑은 가능한 모두를 아우르는 축제요 고도의 예술이며 신앙입니다. 피차 완벽하지 못한 인간의 한계를 원죄처럼 안고 살아야하는 처지에 상대방의 어떤 잘못도 공통의 죄로 감싸고 털어내는 믿음 없이 감히 사랑한다는 말을 남용해서는 안 될 것입니다. 그러기에 사랑하는 것이 얼마나 지난한 과제요 숙명인가를 충분히 숙지하고 사랑해야 하지요.

사랑하면서 원망하거나 갈등하다는 것은 그들이 제대로 사랑하지 않았음을 뜻하며 그것은 곧 그들의 인격과 인생의 실패를 증명하는 주홍글씨입니다. 한편 사랑의 보상은 행복이나 즐거움만이 아니지요. 오히려 가슴 쓰린 아픔이며, 달콤한 상처이며, 밤 파도와 같은 외로움이지요. 상사화의 꽃과 이파리가 앓는 그리움이지요. 사랑하는 이들에겐 슬픔조차도 감미로운 음악입니다. 권태나 무관심보다는 몇 곱 축복인 것이지요.

사랑에는 '진정한' 이니 '진실한' 따위의 괜한 수식어가 붙을 수 없습니다. 그 자체만으로 지고지순한 경지가 곧 사랑이기에 그 말에 구태여 이러쿵저러쿵 살을 붙인다는 것은 한낱 사족에 불과하기 때문입니다. 사랑을, 줄탁동시하듯 품고 사는 이들에겐 어제와 오늘과 내일이 공존하지요. 늘 서로를 창조하고 살아있음을 증명하는 것이지요. 상대방의 자유를 최대화 해주며 그만큼 내 권리를 최소화하는 이들은 고귀한 인생의 열쇠를 얻게 됩니다. 존재의 의미를 확장하여 긍정의 미학을 호흡마다 아로새기게 됩니다. 사랑할 줄 모른다는 것은 얼마나 잔인한 반생명이며 저주인가요. 사랑은 마음의 가장 아늑한 안방이지요. 사랑으로 충만한 마음이야말로 우주의 본심이여 천국에 다름 아닌 것입니다.

무의식

프로이트는 의식의 저변에 무의식이 깔려있다고 했습니다. 그리고 의식은 무의식의 빙하에 드러난 빙산의 일각에 지나지 않는다고 했지요. 유식론에서는 그 빙하를 일곱 계단(말나식)을 지나 여덟 계단(아뢰야식)까지 파고 들어가 세분하고 있습니다. 우리가 마음속에서 어렴프시 느낄 수 있는 부분이라는 것이 고작 새 발의 피에 불과한 것이지요. 그런데 감히 그것을 어떻게 다스릴 수 있겠습니까. 그나마 구불구불 기나긴 꼬리의 터럭 끝쯤만 맛보기로 어른거리고 있으니 말입니다. 마치 심술궂은 악동이 "머리카락 보인다. 꼭꼭 숨어라."하고 장난치는 것만 같지요. 그러니 마음고생이 얼마나 심하겠습니까.

그렇다고 포기할 수는 없는 노릇이지요. 한사코 다잡는 수밖에요. 그것을 불가에서는 '마음공부'라고 합니다. 참 좋은 말입니다. 그리고 그 마음을 밭에 비유하여 심전(心田)이 곧 복전(福田)이라고 이르지요. 그러니까 마음 밭을 잘 일구는 것이 마음공부요, 마음공부가 잘 되어야 그 결실인 복을 누릴 수 있다는 가르침이지요.

마음 밭을 일구려면 잡초를 뽑아내는 작업이 일차적이요, 거기 선(善)의 씨앗을 심어 제대로 뿌리를 내리는 작업이 이차적인 공부이지요. 그러다 보면 점점 그 뿌리가 깊고 넓게 활착되어 무의식의 밑바닥까지 두루 미치는 경지에 이르게 되지요. 그때는 마음을 통째로 가지고 놀 수도 있겠지요. 드디어 긴 숨바꼭질이 끝나는 순간이지요.

우리는 그 험난한 여정의 어디쯤 서성이는 것일까요. 대개가 입구 정도지요. 생각하면 할수록 참으로 난감하고 아득한 노릇이지요. 그러니 얼마나 마음이 불편하겠습니까. 그리고 얼마나 불안하겠습니까. 그렇다고 그냥 말 수는 없지요. 당장의 문제니까요. 마음을 잘 다스리는 것만큼 화급한 당면문제가 어디 있을까요. 잠시도 마음을 놓을 수 없는 천하의 거사가 곧 마음잡기인 것입니다. 우리는 마음이라는 고삐 풀린 망아지와 매 순간마다 매정한 시간을 심판으로 절체절명의 안방 게임을 하고 있는 것이니까요.

불안

'기우' 라는 고사성어가 있습니다. 기인지우(杞人之憂)의 준말이지요. 괜히 쓸데없는 걱정을 할 때 이르는 말이지요. 옛날 중국 기나라 사람이 하늘이 무너질까, 땅이 꺼질까 걱정되어 식음을 전폐하던 이야기에서 유래되었다고 하지요. 그럴 리 없다고 조목조목 일러주는 이의 말을 듣고 크게 기뻐하며 근심을 풀었다고 합니다. 비록 쓸데없는 걱정은 했지만 그래도 후대에 길이 회자되는 말 하나는 건진 셈이네요.

돌이켜 보면 무지 탓이지요. 무지는 미신을 낳고, 근심을 낳고, 편벽을 낳고, 오해를 낳고, 부화뇌동을 낳지요. 잘못된 일파만파의 진원지이지요. 우리라고 웃을 일이 아니지요. 알고 보면 세상사 번뇌의 대부분이 기우지요. 소크라테스가 곁에 없기 망정이지 살아있다면 우리는 아직까지도 자신을 잘 모르는 탓에 봉변을 당해야 싸겠지요. 하긴 그가 없어도 무수한 기우의 늪에서 헤어나지 못하고 있지요. 우주, 생사, 행복의 실체를 제대로 안다면 고통, 번뇌, 근심 따위의 단어가 입에 오르내릴 수 없겠지요. 소크라테스의 지적처럼 자신을 제대로 안다면 이나저나 하나같이 부질없는 것들일 텐데요.

자신을 아는 것은 우주의 열쇠를 찾는 지름길인 것입니다. 우주의 만법은 자신으로부터 출발하여 결국 자신으로 되돌아옵니다. 진리는 제 마음 속에 있기 때문이지요. 자신을 안다는 것은 곧 자신의 실체인 자기 마음을 아는 것이지요. 자기 마음을 모르는 데서 유래된 병이 얼마나 많습니까. 그러기에 날마다 크고 작은 기우를 붙들고 안절부절 못하는 것입니다. 자기 마음에 대한 무지의 벌이지요.

심리

융은 정신의 기능을 사고·감정·감각·직관의 네 가지로 구분하고 사람마다 이 중 한두 가지가 우세하다고 했습니다.

성악설을 주장한 순자와 반대로 맹자는 성선설을 주장했지요. 그 근거로 인·의·예·지의 실마리가 되는 네 가지 마음, 즉 측은히 여기는 마음·부끄러워하는 마음·사양하는 마음·시비를 가리는 마음을 들었습니다. 『예기』에는 사람의 정으로 기쁨·성냄·슬픔 두려움·좋음·싫음·바람 등 일곱 가지를 들고 있습니다. 이른바 '사단칠정' 인데요. 송나라에 이르면 주자를 중심으로 칠정 위에 사단을 놓고 성리학을 세웁니다. 노자 말마따나 유위(有爲)의 세상사를 주로 다루던 유학이 뒤늦게나마 내면세계에 귀 기울여 마음을 다루기 시작한 것이지요. 흔히 신유학이라고 하지요.

도가에서는 무위자연에 합당한 텅 비움을 마음의 요체로 삼고 있지요. 이를테면 마음과 자연과의 합주이지요. 장자의 '소요유'는 탈속의 세계 같은데 실은 마음이 본연의 자리를 떠나지 않은 경지에만 가능한 원래의 세계이지요. 도가에서 마음의 거처는 곧 자연과 도를 뜻하듯이요.

모든 종교가 다 마음을 다루는 처지이지만 특히 불교는 마음의 종교이지요. 그중에서도 유식사상은 심리분석에 올인 합니다. 유식(唯識)의 식(識)은 곧 마음을 뜻하지요. 물질보다 정신에 천착해온 동양에서는 유가와 불가와 도가가 서로 경쟁, 호환(互換)하며 마음을 궁리해 왔습니다.

현대문명을 주도해온 점도 그렇지만 자본주의와 사회주의가 모두 서양에서 태동했듯이 정신보다 물질에 매진해온 서양에도 보다 학술적으로 정신세계를 집대성한 심리학이 있네요.

심리학하면 주로 프로이트, 융, 아들러, 에릭슨, 프롬, 라캉 등 프로이트 주변의 정신분석학 계통 학자들이 떠오르지만 그 이전부터 빌헬름 분트를 "심리학의 아버지"라 불렀듯 심리학은 활발히 존재했지요. 정신분석학도 심리학의 한 갈래이지요. 현상보다 본질에 관심을 보인 플라톤의 "이데아"부터 시작해 본격적으로 이성을 다룬 데카르트, 칸트, 헤겔 등도 동양보다 논리적이고 체계적인 언어로 정신의 분석틀을 만들었지요.

그러나 문제는 여전히 마음세계가 오리무중이라는 사실입니다. 오히려 정신은 옛날보다 더 퇴화되었지요. 옛날에는 자연과 더불어 너나없이 우주의 언어인 해맑은 영혼을 지녔기에 침묵만으로도 소통이

자유로웠습니다. 굳이 마음수련이라는 별도의 과정이 필요 없는 세상이었지요. 생사조차도 지금처럼 큰 문제가 아니었지요. 마음이 맑으면 생사에 걸림이 없어지니까요. 그런데 지금은 어떤가요. 인류의 정신은 과거에 비해 더럽고, 산만하고, 상처투성이이고, 헛것에 씌웠고, 차갑고, 변덕스럽고, 부자연스럽고, 나약하고, 불안하고, 어둡고, 삭막해졌지요.

어찌 보면 인류 역사는 몸을 즐겁고 편하게 한답시고 마음을 불편하게 닦달해온 몸과 마음의 상극적 불협화음에 다름 아니지요. 그러나 어제를 돌아볼 겨를도 없이 속수무책이리만치 지나치게 허구의 아바타인 내일과 물질문명에 경도된 정신의 황폐화는 최소한의 삶의 조건마저 외면하고 심신의 자유와 평화 건강을 망치는 원흉이라는 사실을 한시바삐 뼈저리게 깨우쳐야 하겠습니다. 본질적 주체인 정신이 허상적 객체인 물질문명에 일방적으로 예속된 주객전도의 수렁에서 벗어나 어서 제자리를 되찾도록 해야겠습니다.

쌍두마차

마음을 본능·감정·이성·의지로 나누어 볼까요. 근처에 감성도 있고 오성도 있지만 애매하게 혼동만 줄 것 같아 생략하기로 하고요. 넷을 짝 붙이자면 본능과 감정 대 이성과 의지로 편가를 수 있겠네요.

본능과 감정은 이성과 의지와는 달리 미처 사고를 통해 정리되지 않은 것들입니다. 원시적이며 즉흥적이며 충동적인 것이지요. 그중에서도 본능은 선천적이고 유전적인 것입니다. 집단무의식처럼 비슷한 환경군의 보편적 생리현상이기도 하지요. 감정은 본능에 비해서는 후천적이고 경험에 의한 경우가 많지요. 그러나 다듬어지지 않았다는 점에서는 본능과 유사합니다. 한편 이성은 본능이나 감정의 맹목적 충동을 분석하고 객관화하여 합리적 결론을 도출해내는 정신의 일단이며 의지는 그것을 사회적 행위로 연결하여 실천하는 정신적 힘이지요.

본능과 감정이 철부지라면 이성과 의지는 어른인 셈이지요. 그렇다고 꼭 후자가 전자보다 우월하다거나 효과적이라는 이야기만은 아닙니다. 전자 역시 생의 일차적 에너지이자 생명체의 필요조건들이지요. 후자가 사회적 충분조건으로 요청되듯이 말이지요. 이성과 의지를 원군으로 거느린 정신도 물론 마음의 영역에 속합니다. 몸의 속성과 혼의 신성을 동시에 지닌 마음에서 굳이 분가시키자면 혼에 가깝다고 할까요. 한자로도 정신(精神)은 보다 정밀하고 신비한 수준을 이르는 의미를 내포하고 있습니다. "마음이 없다."는 말과 "정신이 없다."는 말은 현격한 차이가 있습니다. 여기에서 마음은 하고자 하는 욕구를 뜻하지만 정신은 기본적으로 갖춰야 할 마음의 핵심을 가리키지요.

마음의 건강을 도모하려면 이성과 의지가 본능과 감정을 무리 없이 달래고 제어할 필요가 있습니다. 만약에 본능과 감정을 무조건 억압하려 들면 반드시 나름의 반항을 하게 되지요. 그것들이 표면화 되지 않고 무의식의 늪으로 잠복하여 장기전을 펼 때는 평생에 걸쳐 심각한 고통을 겪을 수 있지요. 또한 본능과 감정에 비해 어른스럽다는 이성과 의지도 한계가 있습니다. 인위의 산물인 만큼 분명 결함이 있기 마련이지요. 사회적 요구와 개인적 소신이 충돌할 소지도 다분하고요. 자칫 나치 패거리들처럼 집단 광기에 사로잡히기도 하지요.

본능과 감정이 제거된 이성과 의지는 기계나 괴물과 흡사합니다. 제대로 작동할 수도 없지요. 그렇다고 이성과 의지가 강 건너 불구경식으로 두 철부지만 저만치 떼어놓으면 어떻게 되겠습니까. 그런 방임은 어른이 철부지에 치어, 제 기능을 못하는 인격파탄을 뜻하지요. 그야말로 큰일이지요. 그러니 어쩌겠어요? 한집에 기거하려면 한 식구라는 공동체 의식이 필요하지요. 마음도 마찬가지입니다. 본능과 감정, 이성과 의지가 화기애애하게 살도록 자연스럽게 조이고 다독여 나가는 지혜가 절실하지요. 그것이 마음건강의 요체입니다.

아픔과 기쁨

아침 TV에서는 인간극장이 한참이네요. 저마다 극적인 사연 속에 나름의 의미와 가치를 품고 살아가는 모습들이 문득 옷깃을 여미게 합니다. 평범한듯해도 나름마다 각별한 일상들이 잔잔한 감동, 따뜻한 웃음, 삶에 대한 희망을 살뜰히 선물해 주는 것입니다.

이번 주에는 필리핀 오지에서 의료봉사를 펼치는 한 한국 의사의 아름다운 이야기를 전해주고 있네요. 암을 물리치고 나서 당뇨에 간경화까지 앓으면서도 이역만리에서 지친 심신을 즐거이 혹사하고 있는 그 헌신적 사랑에 마냥 숙연해질 수밖에요. 그런데 그 제목이 "아픈 만큼 사랑한다."입니다. 오지에 참담하게 내버려진 환자들을 돌보며 마치 불구의 수족처럼 아파하는 절절한 표정 속에서 절로 지극한 사랑이 넘치기 때문일까요. 들여다볼수록 아픈 만큼 사랑하고 사랑한 만큼 기쁜 참 인간성의 고귀한 결정(結晶)이 경외롭습니다. 인성과 신성의 결합이 빚어내는 존엄한 '우주생명'의 화음이라고나 할까요.

돌이켜 보면 사랑은 아픈 만큼 사랑하는 경우와 기쁜 만큼 사랑하는 경우의 두 갈래로 나뉠 것 같습니다. 먼저 전자의 속내를 보실까요. 상대의 고통과 슬픔, 고뇌를 지켜보며 자기 일처럼 아파하는 데서 싹트는 사랑 말입니다. 연인끼리의 사랑도 흔한 상황이지만 이웃이나 국가, 인류, 자연, 우주를 상대로 한 광범위하고 보편적인 경지 또한 많지요. 누구에게나 나름의 아픔은 상존하기 마련입니다. 한편 상대의 깊숙이 잠입해서 함께 아파할수록 그 사랑도 그만큼 깊어지는 것이지요. 이때, 아픔의 농도와 사랑의 농도는 비례하게 됩니다. 비로소 인간이 동물적 이기심을 벗어나 고유의 특별한 가치를 발휘하는 것이지요.

다음엔 후자의 속내를 보실까요. 살다보면 누구에겐가 작게나마 베풀고 기쁨을 감추지 못할 때가 더러 있지요. 때로는 이웃의 행복한 모습을 엿보며 전염된 듯 기쁨을 누리는 경우도 있지요. 그리고 그 기쁨이 동력이 되어 더욱 상대와 이웃을 사랑하게 되고요. 덩달아 기쁨도 배가 되고요. 역시 기쁨의 크기와 사랑의 크기도 비례하게 됩니다.

한편 사랑의 매개체이자 에너지인 아픔과 기쁨을 확대해 가는 것은 곧 마음을 풍요롭게 하는 지름길이지요. 사랑이 없는 마음은 사랑이 없는 삶처럼 황량하고 삭막한 불모지에 다름 아니니까요. 평화롭고 건강한 사회를 이루는 비결은 곧 이웃이랑 아픔과 기쁨을 함께하며 열린 마음의 파이를 키우는 것이 으뜸이지요. 마음을 풍요롭고 따뜻하고 밝게 가꾸는 데는 사랑만 한 무기가 없으니까요. 가난하고 춥고 어두운 마음속에서 결코 사랑이 싹틀 수는 없습니다.

열쇠

우리는 제자리 선 채로 가끔 옛날로 돌아가곤 하지요. 이미 가버린 한 때를, 오늘이 되살릴 듯이 애써 끌어들이는 것이지요. 어떤 이는 그때가 좋았다고, 어떤 이는 끔찍했다고요. 좋았던 이는 그때를 돌이켜 오늘을 덧씌우고 땜질하지요. 마찬가지로 끔찍했던 이는 그때를 불러내 오늘의 들러리를 세우려 들지요. 대신 말하게 하는 것이지요.

그러나 그들은 어제가 이어져 오늘이 된 것을 미처 헤아리지 못하고 있습니다. 오늘이야말로 어제가 드러나는 거울이지요. 오늘 속에 어제가 숨어 있기 때문입니다. 어제는 결코 지워지지 않지요. 못나고 덜된 오늘이 달아나거나 숨을 수 있는 곳은 더욱 아니지요. 어제가 좋았을수록 오늘이 나쁘면 어제는 그에게 해롭습니다. 웬만큼 어제가 나빴더라도 오늘이 제법 좋다면 어제는 덮이듯 말에요. 그러니 오직 오늘로서 말해야 합니다. 묵묵히 보여주어야 하는 것이지요. 그것만이 오늘을 훌륭하게 살찌우고 누리는 지름길입니다.

어제는 쏘아버린 화살이며 흘러간 물이지요. 그것을 걸핏하면 들먹여 오히려 그나마의 오늘을 더욱 초라하게 하는 덜되고 못남이라니요. 오직 오늘만으로 어제와 오늘을 말해야 합니다. 그리하여 다가오는 날을 한결 맑고, 즐겁고, 떳떳하게 맞아야 합니다.

하나의 좋음이 있을 때 그것을 열처럼 살려주는 마음이 있지요. 그렇듯 말없이 따뜻하게 웃는 사람, 이웃을 즐겁게 보살펴주는 사람이 좋지요. 일곱의 좋음이 있음에도 굳이 셋의 덜됨을 들먹여 그 일곱까지도 망가뜨리는 해코지가 있습니다. 저만 올바르다고 떠들며 남을 함부로 깎아 내리거나 뒤에서 비웃는 입들은 가까이 하기 싫지요. 묵묵히 제 일을 다하는 사람은 남을 헐뜯지 않습니다. 갈고 닦아 스스럼없는 몸짓 하나, 걸음 하나, 웃음 하나가 스스로를 가장 잘 나타내는 것이어서 굳이 남을 끌어들여 참 모습을 덧칠하지 않아도 되기 때문이지요. 꼭 제 할 일을 제대로 못하는 이들은 남을 이리저리 굴려가며 흉하게 쪼아대는 못된 버릇이 있지요.

스스로를 가다듬고 닦아서 이웃과 나누기 좋은 흥과 얼을 담은 자취가 느껴지는 글을 만나면 그 사람의 땀과, 뜬눈 밤샘과, 박박 긁어댄 머리와, 오랜 눈물과, 손가락에 잡힌 물집이 떠오릅니다. 그러면 막 같이 울고 싶고 그 손을 꼭 잡아 주고 싶어지지요. 그러기에 그 토씨 하나도 함부로 다룰 수가 없지요. 그 글이 그 사람의 모두인 때는 더욱 그렇지요. 마음에서 우러난 글이기 때문이지요.

사람의 마음은 곧 사람의 문을 여는 열쇠이지요. 우리가 서로 마음을 활짝 열 때, 나는 당신의 열쇠가 되고 당신은 나의 열쇠가 되는 것입니다. 그것은 곧 온누리의 열쇠이지요.

강박증

가스난로의 불은 껐는지, 화장실 수도꼭지를 틀어놓고 오지나 않았는지 확인하러 바쁜 출근시간에 부리나케 집으로 발길을 돌리는 경우가 있지요. 취중에 지갑은 안녕한지 호주머니를 두 번 세 번 더듬어 보는 경우는 그래도 덜한 편이지요. 불길한 숫자나 단어, 이미지만 보이면 마음이 편치 않아 애써 지워버려야만 일손이 잡히는 경우도 있지요.

지나고 보면 한낱 기우에 불과한 괜한 걱정꺼리가 마음의 안방을 차지하고 안절부절 못하게 닦달하는 것이지요. 일상의 습관에 대한 불신이 습관화 되어가는 이를테면 습관의 악순환이지요. 모두가 헛것의 장난입니다. 바쁜 일과에 쫓겨 정상적이지 못한 잡것이 씌운 탓이죠. 일단의 자기불신 현상이지요. 제 마음에게 실상을 제대로 알려주지 못한 벌인 것입니다.

마음에도 먼지가 낍니다. 오히려 몸보다도 더 자주, 심하게 끼기 쉽지요. 그때마다 마음과 대화를 통해 씻고, 털어내 준다면 그런 몹쓸 도둑들이 쳐들어와 멀쩡한 자신을 억울하게 괴롭히는 망발은 피할 수 있는데요. 마음속에 한번 고인 것들은 아무리 미세한 먼지도 저절로 사라지는 법이 없습니다. 옷에 묻은 먼지는 바람이라도 털어주지만요. 자신 말고는 어떤 청소기도 없습니다. 그렇게 무의식의 저변에 쌓인 숱한 마음의 먼지는 심각한 병이나 괜한 미신을 유발함으로써 한사코 자신의 존재를 증명하려고 벼르지요.

우리는 버릇처럼 날마다 틈틈이 거울을 들여다봅니다. 마음의 거울은 그보다 몇 배 세심하게 들여다보아야 하지요. 그리고 헛것의 허상을 일깨워주어야 합니다. 마음의 겉만 알아서는 안됩니다. 마음 저 밑바닥까지도 속속들이 깨우치도록 해야 합니다.

무엇보다도 어려서부터 평소 세심하고 정확하게 자기관리를 하는 습관을 기르는 것이 상책이지요. 바깥으로는 사물과의 관계를, 안으로는 자기 마음과의 관계를 깔끔히 정리 정돈하는 것입니다. 알게 모르게 쌓여가는 스트레스를 그때그때 해소하고, 웬만한 사건에도 흔들림 없이 마음의 평정을 유지하는 여유 또한 빼놓을 수 없지요.

우울

걸핏하면 너나없이 막연한 증상을 호소하는 현대병 중 대표적인 게 우울증이지요. 화병이 분노나 억울한 감정을 억지로 눌러서 생긴 병이라면 우울증은 우울하고 슬픈 감정을 해소하지 못해 매사 의욕이 없고 무기력해지는 정신증상이지요. 평소 의지하고 사랑하던 상대와 헤어지거나 잃어버린 슬픔과 스트레스가 심화되어 교감신경계에 지나친 항진이 나타나는 것이지요.

대개 불면증, 체중감소와 식욕부진-반대로 체중이 급격히 불어나고 폭식하는 경우도 있지요- 소화불량, 변비, 불안, 초조, 성욕저하, 활동력 약화, 집중력과 기억력 감퇴, 사고력과 인지능력 퇴화, 자신감 상실 등 숱한 부작용을 동반하지요. 죄책감, 열등감, 절망감, 허무감, 권태, 무력증도 곁들지요. 심각한 경우엔 뇌졸중이 발생하거나 자살에 이르기까지 합니다.

우울은 슬픔의 몸살인 셈이지요. 몸살은 바이러스가 원인인 감기와 달리 피로가 원인이지요. 그러니까 몸살을 이겨내기 위해서는 잘 먹고 푹 쉬어야 하듯이 자신이 우울증에 걸린 줄 안다면 우선 마음을 푹 쉬어야지요. 억지로 우울을 몰아내려 들거나 억누르려 들면 오히려 역효과만 나타나지요. 괜히 무의식으로 숨어 잠복활동을 벌일 빌미를 주는 것이니까요.

마음의 휴식은 일단 마음속의 화기를 액화(液化)하는 것이지요. 그리고 액화한 습기를 다시 기화(氣化)하는 것입니다. 이를테면 곰삭히는 발효이지요. 썩히는 것과 삭히는 것은 분명 다르지요. 속을 썩이지 말고 삭히는 것입니다. 전자가 죽음이라면 후자는 부활이지요. 그리하여 기나긴 우울의 터널을 벗어났을 때는 전에 없이 화창하고 평화로운 신천지가 버선발로 맞을 것입니다.

집착

일일 드라마에서 한 여자가, 짝사랑하는 남자의 연인을 해치는 끔찍한 장면이 나옵니다. 다행히 큰 상처를 입지 않아서 망정이지 자칫 죽을 수도 있었지요. 분명 미필적 고의, 살인미수인 셈이지요. 그런데 피해자는 갖은 악조건 속에서도 즐겁고 행복하지만 가해자는 썩 좋은 환경 속에서도 괴롭고 불행하기만 합니다. 이루어지지 않는 사랑 탓에 고통과 질투, 상처 난 자존심으로 죽을 맛인 것이지요.

주는 것보다 가지는 것에만 익숙한 이기심이 그 원인입니다. 그것은 사랑이 아니라 집착인 것이지요. 사랑한다면 어떤 고통 속에서도 행복해야지요. 죽어가면서도 정녕 사랑했다면 행복해야지요. 한 쌍의 견고한 하모니 속에서는 고통조차도 행복의 동인(動因)인 것이 사랑입니다. 사랑은 신비한 묘약이기 때문이지요. 다 잃어도 서로를 향한 간절한 마음만 함께 있으면 행복한 것이 사랑입니다. 사랑이 채워주기 때문이지요. 사랑은 어떤 고문보다도 강한 인내를 지구력으로 지니고 있어서이지요.

사랑과 집착의 차이는 한사코 자신에게 물어보면 알 수 있습니다. 사랑하기에 행복하면 사랑이고 사랑할수록 불행하면 집착인 것이지요. 상대를 떠올려서 행복하면 사랑이고 괴로우면 집착이지요. 사랑은 쌍방 소통이지만 집착은 일방적 불통입니다. 집착은 무작정 물과 기름의 물리적 결합을 강제하지만 사랑은 불과 불의 화학적 결합이 참으로 자연스럽게 이루어지는 것이지요. 사랑은 추억만으로도 배부르지만 집착은 늘 갈증 난 현실에 굶주린 것이지요. 사랑은 함께 부르는 감미로운 발라드라면 집착은 젖 달라고 보채는 옹알이 같은 혼자만의 랩이지요. 사랑은 주지 못해서 안타깝지만 집착은 빼앗지 못해서 화가 끓는 것이지요. 사랑하는 사람끼리는 아무리 멀리 떨어져 있어도 행복하지만, 곁에 있어도 사랑 받지 못하는 경우는 괴롭습니다.

집착이 심할수록 괴로움은 자꾸만 더합니다. 사랑을 소유의 대상으로 생각하는 탓입니다. 타인을 진실로 사랑한 것이 아니라 자신의 소유욕에 사로잡힌 가짜 사랑, 즉 일방적 '자기애(自己愛)' 에 불과한 것이 그 실체이지요. 그러나 사랑은 함께 나누는 것이지요. 그 속에서는 상대에 대한 희생조차도 기꺼이 치를 수 있는 '타인애(他人愛)' 가 생기지요. 그와 내가 둘이 아니라는 일체감은 그 무엇도 막을 수 없는 '불가분한 불변' 의 공동전선을 형성하기 때문입니다.

그 사랑을 우주 자연에까지 넓혀 보실까요. 그것이 곧 진리와 마음의 거처입니다. 우주심이야말로 마음의 고향이자 진리의 실체인 것이지요. 그렇게만 되면 거칠 것 없는 자유와 평화, 그리고 무한의 권리가 저절로 주어지지요.

집중과 견제

윌리엄 텔이 자기 아들 머리 위의 사과를 쏘아 맞추는 장면이 있지요. 온 마음을 고도로 집중한 결과 그는 그 어려운 화살을 목표물에 정확히 명중시킵니다. 바보 온달도 활쏘기 연습 때, 콩알만 한 과녁이 바위만큼 크게 보여서 백발백중하는 장면이 있지요. 역시 마음을 온전히 집중한 결과이지요.

인간에게 집중력만큼 위대한 능력은 없습니다. 사랑만큼 아름다운 능력은 없듯이 말이죠. 집중하면 엄청난 창조물이 탄생하지요. 천재의 출현은 대부분 절정의 집중력을 발휘한 경우지요. 운동선수에게도 집중력은 필수입니다.

집중이란 흐트러진 마음을 일시에 한데 모으는 고도의 정신적 경지를 이르지요. 선가의 고승들도 집중력의 대가들입니다. 일반의 경우와 선(禪)의 경우가 다른 것은 전자는 사물에 마음을 집중한 차원이고, 후자는 마음에 마음을 집중한 차원이지요. 그래서 전자는 사사건건마다 집중이 필요하지만 후자는 일정 수준에만 이르면 굳이 따로 집중이 필요 없지요. 길들여진 소처럼 저절로 마음이 시의적절하게 작용하니까요.

자주 쓰는 말로 집중과 견제라는 말이 있지요. 이 말만큼 마음과 어울리는 경우도 드물 것입니다. 마음을 다스리는 데 있어서 집중과 견제는 가장 효율적인 방법이자 무기이기 때문이죠. 틈만 나면 달아나 사방팔방을 기웃거리며 참견하려 드는 마음을 붙들어(견제) 한데 모아(집중) 청정일심의 마음 밭을 일구는 것이야말로 최고의 마음농사입니다.

한마음

숱한 경전 중에는 중언부언하거나, 괜한 것을 어렵게 비틀어 말하거나, 법전처럼 그것을 전문적으로 다루는 이들만이 아전인수의 편리한 해석을 낳게 모호한 장치(?)를 한 것들이 많습니다. 그와 달리 알아듣기 편하면서도 의미심장하고, 되씹을수록 절로 감동케 하는 마력을 지닌 것이 원불교 경전의 특징이지요. 그 속에 교조인 소태산 대종사 말씀을 대화체로 기록한 것이 대종경입니다.

대종경을 보면 마음을 다스리는 절묘한 법이 참 명료하고 쉽게도 수록되어 있습니다. 그중 한 대목을 살펴보지요. "그대들이 일심 공부를 하는데 그 마음이 번거롭기도 하고 편안하기도 하는 원인을 아는가. 그것은 곧 일 있을 때에 모든 일을 정당하게 행하지 못 하는 데에 원인이 있으니, 정당한 일을 행하는 사람은 처음에는 혹 복잡하고 어려운 일이 많은 것 같으나 행할수록 심신이 점점 너그럽고 편안하여

져서 그 앞길이 크게 열리는 동시에 일심이 잘 될 것이요, 정당치 못한 일을 행하는 사람은 처음에는 혹 재미 있고 쉬운 것 같으나 행할수록 심신이 차차 복잡하고 괴로워져서 그 앞길이 막히게 되는 동시에 일심이 잘되지 않거니, 그러므로 오롯한 일심 공부를 하고자 하면 먼저 부당한 원을 제거하고 부당한 행을 그쳐야 하느니라."고 이르고 있지요.

또 한 대목만 더 보실까요. "대종사께서 평시에 말씀하시기를, 이 일을 할 때 저 일에 끌리지 아니하며 저 일을 할 때 이 일에 끌리지 아니하고 언제든지 하는 그 일에 마음이 편안하고 온전해야 된다 하시므로 저희들도 그같이 하기로 노력하던 차, 제가 요즈음 바느질을 하면서 약을 달이게 되었는데 온 정신을 바느질 하는 데 두었다가 약을 태워버린 일이 있습니다. 바느질을 하면서 약을 살피자면 이 일을 하면서 저 일에 끌리는 바가 될 것이고, 바느질만 하고 약을 불고하면 약을 또 버리게 될 것이니, 이런 경우에 어떻게 하는 것이 공부의 옳은 길이 됩니까?"라는 양도신이라는 제자의 질문에 대종사가 답합니다. "네가 그때 약을 달이고 바느질을 하게 되었으면 그 두 가지 일이 그때의 네 책임이니 성심성의를 다하여 그 책임을 잘 지키는 것이 완전한 일심이요 참다운 공부니라. 그 한 가지에만 정신이 뽑혀서 실수가 있었다면 그것은 두렷한 일심이 아니라 조각 마음이며 부주의한 일이므로 열 가지 일을 살피나 스무 가지 일을 살피나 자기의 책임 범위에서만 할 것 같으면 그것은 방심이 아니고 온전한 마음이며 동할 때 공부의 요긴한 방법이니라. 다만 생각하지 않아도 될 일을 공연히 생각하고 안 들어도 좋을 일을 공연히 들으려 하고 안 보아도 좋을 일을 공연히 보려 하고 간섭하지 않아도 좋을 일을 공연히 간섭하여, 이 일을 할 때에는 정신이 저 일로 가고 저 일을 할 때에는 정신이 이 일로 와서 부질없는 망상이 조금도 쉴 사이 없는 것이야말로 크게 꺼릴 바이니, 자기의 책임만 가지고 이 일을 살피고 저 일을 살피는 것은 비록 하루에 백, 천, 만 건을 아울러 나간다 할지라도 일심 공부하는 데에는 하등의 방해가 없느니라."는 구절이지요.

변화무쌍한 세상사를 헤쳐 나갈 때 마음의 벼릿줄 하나 제대로 챙기는 것이 얼마나 중요한 노릇인가를 다시금 뼈저리게 돌이켜보게 하는 교훈이지요. 어릴 적, 한눈을 팔다가 소고삐를 놓치고 나서 천방지축 날뛰는 소 때문에 애태우던 기억이 새롭습니다. 고삐를 바짝 움켜쥐고 주변 논밭을 피해 조심조심 소를 끌고 가는 소몰이꾼이어야 최소한 농부의 자격이 있는 것이지요. 마음은 틈만 나면 고삐를 풀고 달아나려는 소와 같지요. 우선 고삐를 놓치지 않아야 소를 잘 부릴 수 있지요. 열백 번 되풀이 하지만 마음도 그와 같이 다루어야 하겠습니다.

백팔 번의 마음여행

"마음 밭 가꾸기"라는 거창한 타이틀을 걸고 이 글을 시작한지도 어느덧 석 달이 이슥해 갑니다. 종잡을 수 없는 미지의 세계를 탐험한다는 게 결코 쉬운 일이 아니라는 각오는 했었지만 막상 허락도 없이 마음의 지도를 좇다보니 난감하기 그지없네요.

불가에서는 고요한 마음을 요동치게 하는 주범인 번뇌의 수를 백팔가지로 들지요. 백팔번뇌에 관해서는 여러 설이 있습니다. 그중 하나를 보실까요. 눈·귀·코·혀·몸 등 오감의 감각기관에 마음을 더하여 육근이라고 하지요. 거기에 고(苦)·낙(樂)·불고불락(不苦不樂)-苦도 아니고 樂도 아닌- 셋을 곱하여 열여덟 가지가 됩니다. 이에 탐(貪)과 무탐(無貪) 둘을 곱해 서른여섯 가지가 되지요. 이것을 다시 과거·현재·미래 삼세로 곱하면 백여덟 가지가 된다고 풀이하지요. 괜히 복잡하지요? 불교의 원산지인 인도에서 수학이 발달한 이유를 알겠네요.

그러나 꼭 집어 백팔 가지일 수 있겠어요. 실은 한마음에서 수십 수백 갈래로 오락가락하는 것이지요. 가짓수보다도 그 농도가 문제이지요. 하나의 번뇌로 생을 포기하는 경우도 많지 않습니까. 좌우간 백여덟 개든 한두 개든 이놈의 번뇌 탓에 저마다 단 하루가 편하기 어려운 것이지요. 그런데요. 꼭 그렇지만도 않은 것에 신앙의 묘미가 있지요. 그것이 마음을 들먹여 먹고 사는 종교의 밥줄이자 명줄이기도 하니까요. 보실까요. 넌지시 백팔번뇌는 곧 백팔 환희의 에너지이며 모태이기도 하다고 암담하기만 하던 출구를 열어놓지요. 그렇지 않다면 누가 절이나 교회를 그토록 목매어 찾아가겠어요.

마침 여기저기 춥고 긴 겨울잠에서 기지개를 켜느라고 바쁘군요. 그중에는 아직도 깊은 동면에 빠진 뱀과 개구리도 있고, 추위에 잔뜩 움츠리고 있는 풋나물들도 있는가 하면, 가려운 꽃눈을 비비고 있는 매화와 동백도 있네요. 그러니까 겨울이라는 번뇌를 떨치고 화사한 봄의 환희를 맞는 모습들도 천차만별이네요. 문제는 얼마나 효율적으로 번뇌라는 에너지를 태워 얼마나 화사하고 아름다운 환희의 꽃을 피우느냐는 차이인 것이지요.

다시금 정리해 보실까요. 부정을 긍정으로 바꾸는 대단원의 출발이 번뇌지요. 희망은 잠시 절망에 빠진 주어의 술어이구요. 웃음은 눈물의 목적어이지요. 그러니 일찍이 생은 고해라고 했던 부처의 우울한 진단 속에도 이고득락(以苦得樂)-고통을 통하여 즐거움에 이른다.-의 속 깊은 처방이 들어 있는 것이네요. 허긴 옛사람들이 멀쩡한 벽에 괜히 "인내"라는 짧고 굵은 두 글자를 무슨 큰 부적이라도 되는 것처럼 써 붙여 놓았겠어요. 요즈음도 머리를 싸맨 수험생들의 공부방에서 가끔 엿볼 수 있는 풍경이지만요.

번뇌의 뻐꾸기 둥지인 마음속에는 고와 낙이 엎치락뒤치락 동거하고 있지요. 더 친절하게 이르자면 고통 속에 이미 열락의 씨앗이 들어있는 것이지요. 그 씨앗을 무엇이 틔워줄까요. 하루 속히 말끔하게 번뇌의 무단 숙박을 추방하는 마음에 달려 있지요. 그래서 저는 이 고달프고도 들뜬 여행을 "백팔 번의 마음여행"이라고 이름 했습니다. 이왕이면 거칠고 추운 마음 밭을 해맑은 백여덟 송이의 꽃밭으로 가꾸는 여정이었으면 좋겠네요.

아차, 빠뜨린 게 있네요. 앞에서 고(苦)·낙(樂)·불고불락(不苦不樂)을 들추어만 놓고 휙 지나쳤지요. 고(苦)와 낙(樂) 둘만 둘 일이지 거기에 고(苦)도 아니고 낙(樂)도 아닌 불고불락(不苦不樂)이 등장하니 어리둥절할 수밖에요. 어찌 보면 고(苦)와 낙(樂) 어디에도 치우치지 않는 중용의 이상적 상태라고도 할 수 있겠는데요. 그런데 그것은 어정쩡한 것일 뿐 진정한 경지는 아니지요. 고진감래라는 말이 있지요. 괴로움을 통해 즐거움에 이르는 것은 괴로움을 벗어난, 다시 말해 다시는 그 괴로움에 빠지지 않는 불퇴전의 즐거움을 이르지요. 그러나 불고불락(不苦不樂)은 괴로움을 이길 힘도, 즐거움을 누릴 힘도 없는 무기력에 불과한 것입니다. 겨울을 거치지 않고 봄에도 이르지 못한 미완의 계절에나 비할까요.

그리고 또 하나 유념해야 될 게 있습니다. 비록 어렵사리 괴로움의 관문을 통과한 즐거움이라 해도 그것에 즐거움이라는 딱지를 붙이자

마자 이내 즐거움으로부터 멀어지고 만다는 사실입니다. 왜일까요. 상대성에 대해 얘기 했었지요. 낙(樂)이라는 단어를 의식하는 그 순간 곧 고(苦)의 싹이 다시 꿈틀거리게 되거든요. 제 여행의 끝은 두렵고도 엄연한 이 사실에 기초해야만 하겠네요.